PF
3111
M 47   Erika Meye

Elementary German

DATE DUE			
MAY 29 70			
MAR 23 72			
MAY 26 72			
MAY 26 72			
NOV 2 1978			
NOV 30			
OCT - 9 1990			
NOV 24 1998			

Waubonsee Community College

ELEMENTARY

German

SECOND EDITION

ERIKA MEYER · *Agnes Scott College*

Houghton Mifflin Company · Boston

Preface

This second edition of my ELEMENTARY GERMAN (originally published in 1952) is a middle-of-the-road text. It retains the traditional presentation of grammar of the first edition, but is more emphatically geared to the development of audio-lingual skills. The principle of extreme simplification and maximum clarity in the presentation of grammatical points has been retained, though the sequence of presentation has been slightly changed in the interest of greater practicality (subordinate clauses, for example, are introduced earlier). The reading selections, too, remain essentially the same; they seek to give brief glimpses into German civilization and literature, while giving numerous examples of the relevant points of grammar.

The major changes are in the exercises, all in the interest of developing audio-lingual skills. There are more and simpler questions to provide for more rapid give and take between teacher and student, and there are more exercises to be done orally. The most important addition is the set of pattern drills for each chapter, which are also recorded on tape for use in the laboratory. The basic principle on which they were constructed is that of active student participation. The student must constantly respond to stimuli given by the speaker. If no laboratory is available, they can be used in the classroom as rapid drill with students' books closed. The drills are designed to give practice in speaking correctly, and strong emphasis is placed on particularly troublesome matters, such as adjective endings, idioms, and noun plurals. As far as practicable, the drills consist of questions and answers, thus at least approximating a natural conversational tone. While the principle of repetition that is an essential part of pattern drills has been maintained, a good deal of variety has been provided to avoid excessive boredom.

A second important addition is a systematic review of grammar and vocabulary in four chapters at appropriate intervals. Classroom use has shown these to be especially valuable to the student.

In response to widespread demand from users of the first edition, the paradigms in the appendix have been changed to the traditional

Latin order. The exercises requiring translation from English to German have been retained, although the book can be very successfully used without them.

Unlike many recent texts, this book does not require the memorization of large numbers of pattern sentences. It seeks rather to teach students to understand and speak the language by the question-and-answer method.

The omission of extensive reading material is intentional. Long experience in the classroom indicates that very satisfactory results can be achieved in the basic audio-lingual skills by the use of a short grammar in conjunction with reading matter (begun at a very early stage) which through a degree of continuity is of intrinsic interest to the adult student.

A number of persons have been of great help to me in the preparation of this book. My colleagues at Mount Holyoke College, especially Dr. Edith A. Runge, contributed much to the first edition, from which this book is derived; Mr. Dale Cunningham of Rutgers University offered a general critique of that edition which was very helpful in planning the second; Dr. William G. Moulton, editorial adviser in German to Houghton Mifflin Company, made many useful suggestions on the manuscript; both he and Mr. Richard A. Kipphorn, Jr. of St. Joseph's College contributed much to the pattern drills — Mr. Kipphorn by drafting a first set of drills for use in the early stages of revision, Dr. Moulton by his detailed and helpful comments on them at several points in the process of revision and classroom trials. Mr. Richard N. Clark of the Houghton Mifflin editorial staff was helpful at various stages of the work, particularly in providing test recordings of pattern drills. The new edition was tested in the classroom for two successive years, and I am much indebted to my students at Agnes Scott College for constructive criticisms on many minor points.

E.M.

Decatur, Georgia

Contents

Introduction

1. The German alphabet has the same letters as the English, plus the character ß (see 2b below).

2. **Pronunciation**

   a. **Vowels**

   A vowel may be either long or short. It is usually long when followed by one consonant: **haben** *have* and short when followed by two or more consonants: **fast** *almost.* A silent **h** following a vowel makes the vowel long: **nehmen** *take.* Both long and short vowels (except unaccented **e**) are always given their full value; **i** for example is always pronounced as **i** and **u** as **u.** (Note by contrast that in the English words *fur, fir, her* the three vowels are all pronounced alike). Such precise pronunciation requires much more active use of the lips than is usual in English. While in English, long vowels are usually diphthongized, that is, *day* is actually pronounced *da-ee,* and *oh* is actually pronounced *o-u,* in German vowels are pure, without a diphthongal glide.

   a long (spelled **a, aa, ah**), like *a* in *father,* except that it is formed nearer the front of the mouth than it usually is in English. And the mouth is opened wider than in English: **kam** *came,* **Haar** *hair,* **nahm** *took.*

   a short, a brief, clipped **a** sound about halfway between long **a** and English *u* as in *up:* **Mann** *man,* **Hans.**

   e long (spelled **e, ee, eh**), similar to English *a* in *take,* except that it is a closer, tighter sound produced by stretching the lips so that the mouth forms a narrow slit (be careful to avoid the diphthongal glide): **geben** *give,* **See** *lake,* **nehmen** *take.*

   e short, approximately like English *e* in *bed:* **Bett** *bed,* **best** *best.*

e unaccented occurs chiefly in unaccented endings and prefixes and is the only case of a vowel not being given its full value; approximately like *e* in *the:* **gegeben** *given,* **habe** *have.*

i long (spelled **i, ih, ie, ieh**), like English *i* in *machine:* **ihm** *him,* **dir** *you,* **sie** *she,* **sieht** *sees.*

i short, like *i* in *sit:* **in** *in,* **immer** *alawys.*

o long (spelled **o, oo, oh**), like English *o* in *go,* but with lips more definitely rounded and without the diphthongal glide: **so** *so,* **Boot** *boat,* **Sohn** *son.*

o short has no real equivalent in English; the closest approximation is the *o* in *fort* or *sport.* To produce: round lips as for long **o,** and, keeping lips in this position, try to say short *u* as in English *up:* **oft** *often,* **Onkel** *uncle.*

u long (spelled **u, uh**), like English *oo* in *boot* but with lips more definitely rounded and protruding slightly: **tun** *do,* **Bruder** *brother.*

u short, like English *u* in *put:* **uns** *us,* **Mutter** *mother.*

Umlaut: modified vowels

ä long, like long **e** except that the lips are not quite so tightly stretched: **Käse** *cheese,* **sähe** *would see.*

ä short, like short **e:** **kämpfen** *fight,* **fällt** *falls.*

ö long (no English equivalent); to produce: round the lips as for long **o,** and keeping lips in this position, try to say German long **e:** **Söhne** *sons,* **mögen** *may.*

ö short (no English equivalent); to produce: round lips as for short **o** and try to say short **e:** **können** *can,* **öfter** *more often.*

ü long (no English equivalent); round lips as for long **u** and try to say German long **i:** **über** *over,* **kühl** *cool.*

ü short (no English equivalent); round lips as for short **u** and try to say short **i:** **müssen** *must,* **Mütter** *mothers.*

Diphthongs

ai like English *i* in *kite:* **Kaiser** *emperor.*
au like English *ou* in *house:* **Haus** *house.*
ei like English *i* in *kite:* **mein** *my.*
äu like English *oi* in *oil:* **Häuser** *houses.*
eu like English *oi* in *oil:* **Leute** *people.*

b. Consonants

German consonants are articulated with greater precision than English consonants.

b initial or between vowels, like English *b:* **geben** *give.*

b final in a word or part of a compound, or before a voiceless consonant, like *p:* **gab** *gave,* **abholen** *call for,* **bleibt** *remains.*

c (occurs rarely) usually pronounced **ts.**

ch (no English equivalent); to produce: whisper English *hue* very forcibly, noting point of friction between roof of mouth and tongue. Then pronounce it with the vowels: **ich, ech, ach, och, uch,** noting how point of friction gradually moves farther back: **ich** *I,* **echt** *genuine,* **machen** *make,* **noch** *yet,* **Buch** *book.*

ch at the beginning of a few words of Greek origin, like **k: Chor** *choir.*

d initial or between vowels, like English *d:* **dann** *then,* **Laden** *store.*

d final in a word or part of a compound, like *t:* **Freund** *friend,* **Freundschaft** *friendship.*

dt like *t:* **Stadt** *city.*

f like English *f:* **Form** *form.*

g initial or between vowels, like English *g* in *go* (never as in *George*): **geben** *give,* **gegen** *against.*

g final, like *k:* **Tag** *day,* **Weg** *way;* except in final **ig,** like **ch: wenig** *little,* **König** *king.*

h initial in a word or syllable, like English *h:* **Himmel** *heaven.*

h after a vowel, silent: **ihn** *him,* **nehmen** *take.*

j like *y* in *yes:* **ja** *yes,* **Jahr** *year.*

k like English *k:* **Karte** *card;* it is never silent: **Knie** *knee.*

l differs materially from English *l.* Note that in pronouncing English *l,* only the tip of the tongue touches the ridge just above the teeth. To form German **l,** flatten the front of the tongue against the gums so that you can just feel the side edges of the tongue against the side teeth: **will** *want to,* **sollen** *shall.*

m like English *m:* **Mädchen** *girl.*

n like English *n:* **nein** *no.*

ng like English *ng* in *singer* (never as in *finger*): **bringen** *bring.*

p like English *p:* **Professor** *professor.*

pf both letters are pronounced but with less emphasis on the **p** than usual. For best results, try pronouncing only **f**, but begin with tightly closed lips: **Pferd** *horse,* **Pfeife** *pipe.*

ph like English *ph:* **Philosophie** *philosophy.*

r German **r** is trilled, either with the tip of the tongue or with the uvula at the back of the mouth. The former is the accepted stage pronunciation, the latter is more common in everyday speech. The uvular **r** is considered difficult for Americans but can be acquired with a little practice: throw your head back (to "lubricate" the back of the mouth with saliva) and try to gargle without water. Gradually the trill can be produced with the head in normal position. The trill is clearest and strongest when the **r** is followed by a vowel: **rufen** *call,* **Preis** *price.* When the **r** is not followed by a vowel, the trill is very slight: **fort** *away,* **kurz** *short;* in unaccented positions the trill disappears entirely to become a kind of unaccented vowel sound: **Vater** *father,* **bitter** *bitter.*

s initial before a vowel, and between vowels, like English *z:* **Sonne** *sun,* **lesen** *read.*

s initial before **t** or **p**, like English *sh:* **stark** *strong,* **sprechen** *speak.*

s final in a word or syllable, like *s* in *sit:* **das** *the,* **ausgehen** *go out.*

ss like *ss* in *mess:* **essen** *eat.*

ß like *ss:* **Straße** *street,* **muß** *must.*

sch like English *sh*, except that the lips are slightly more protruded: **Schule** *school,* **Mensch** *man.*

t like English *t:* **tun** *do.* Between vowels English *t* tends toward *d*, as in *bitter, writer* (almost like *bidder, rider*); but German *t* in this position is still clearly and fully pronounced: **bitter** *bitter,* **Reiter** *rider.*

th like **t:** **Theater** *theatre.*

tz like *ts:* **letzt** *last.*

v like *f:* **Vater** *father,* **von** *from.*

v in a few words of foreign origin, like English *v:* **November** *November.*

w like English *v:* **wissen** *know,* **wer** *who.*

x like English *x:* **Axt** *ax.*

z like *ts.* **Zeit** *time,* **Herz** *heart.*

c. Glottal stop

Before syllables beginning with a vowel there is a momentary stoppage of breath, which prevents words from being run together: **ein ʾApfel** *an apple;* **das ʾAbendʾessen** *supper.* The glottal stop is a very important characteristic of German pronunciation and should never be neglected. We find a comparable phenomenon in English when in careful pronunciation we say *an apple* rather than *a napple.*

3. Accent

a. In simple words the accent falls on the root syllable: **Mäd′chen,** *girl,* **sa′gen** *say,* **begin′nen** *begin.*

b. In compound words it falls on the first part: **Wirts′haus** *inn.*

c. In words of foreign origin it frequently falls on the last or second to last syllable: **studie′ren** *study,* **Student′** *student.*

4. Capitalization

a. All nouns and words used as nouns are capitalized: **der Mann** *the man,* **das Gute** *the good.* (Contrary to English usage, adjectives derived from proper nouns are not capitalized: **das amerikanische Volk** *the American people*).

b. **Sie** *you* and its derivatives are capitalized. **Du** and **ihr** (familiar forms) and their derivatives are capitalized only in letters.

5. Syllabication

a. A single consonant between vowels belongs with the following vowel: **sa-gen, Bru-der.**

b. The last of two or more consonants belongs with the following vowel: **den-ken, Stun-de. Ck** becomes **k-k** when divided.

c. **Ch, sch, st, ss, th** are never divided: **ma-chen, Fen-ster.**

6. Punctuation

The main rules of punctuation are:

a. A comma is used before a clause introduced by **aber, denn, oder,** or **und,** if the second clause has an expressed subject.

Der Lehrer erklärt es, aber der Student versteht es nicht.

The teacher explains it, but the student doesn't understand it.

b. All subordinate clauses, including relative clauses, are set off by commas.

Der Mann, den du sahst, ist mein Vater.

The man whom you saw is my father.

c. Infinitive phrases consisting of more than **zu** plus the infinitive are usually set off by commas.

Er kam, um mir damit zu helfen.

He came to help me with it.

d. A colon is used before a direct quotation:

Er sagt: „Ich bin hier."

He says, "I am here."

Note that at the beginning of a quotation, the quotation marks are placed at the bottom.

e. A command is usually followed by an exclamation point.

Komme sofort nach Hause!

Come home at once.

f. Unlike English, German uses the apostrophe, not to express possession, but only to indicate the omission of a letter.

Maries Buch
Was hab' ich gesagt?

Marie's book
What did I say?

g. Also unlike English, an adverbial phrase at the beginning of a sentence is *not* set off by a comma.

An einem schönen sonnigen Morgen fuhren wir in die alte Stadt Goslar.

On a beautiful sunny morning, we drove to the old city of Goslar.

ELEMENTARY

German

CHAPTER 1

Vocabulary

In German, two nouns which would be written separately in English, are often combined to form one word; e.g. "morning sun" *Morgensonne*. Since most dictionaries list only the individual parts of such compounds, they are listed in that way in the vocabularies of this book: der **Morgen** morning, die **Sonne** sun. They are listed as compounds only if there is a change either in the form or the meaning of any of the component parts: e.g., das **Diminutivum**, die **Endung**; die **Diminutivendung**; der **Käse** cheese, das **Brot** bread; das **Käsebrot** cheese sandwich. The last noun in such a compound determines its gender.

Noun plurals are indicated thus: der **Student, –en** (der **Student,** die **Studenten**); der **Bruder, ⁀** (der **Bruder,** die **Brüder**); das **Mädchen, —** (das **Mädchen,** die **Mädchen**); der **Tag, –e** (der **Tag,** die **Tage**).

der **Herr, –n*, –en** Mr., gentleman
der **Professor, –en** professor
der **Student', –en*, –en** student (male)
der **Tag, –e** day

das **Diminutivum, –va** diminutive
das **Fräulein, —** Miss, young lady
das **Mädchen, —** girl
das **Neutrum, –tra** neuter

die **Antwort, –en** answer
die **Endung, –en** ending
die **Frage, –n** question
die **Frau, –en** woman, wife, Mrs.
die **Schwester, –n** sister
die **Studentin, –nen** student (female)

der, das, die the
das that
ein a, an, one
kein not a, no
alle all

sagen say
sein be
verstehen understand

dumm stupid
gut good, well
richtig correct, right
weiß white

aber but, however
denn for (*conjunction*)
oder or
und and

warum why
was what
wer who
wo where

auch also, too
hier here
nicht not

ja yes
nein no

Idioms

bitte please, if you please
guten Tag hello, how do you do?

*See Appendix, p. 204, 3*b*.

Gender · Number · Nominative Case
Present of sein

I. READING

Der Professor sagt: „Guten Tag, ich bin der Professor. Wer sind Sie?" Herr Schmidt: „Ich bin ein Student." Der Professor: „Ist Fräulein Weiß auch ein Student?" Herr Schmidt: „Nein, sie ist kein Student, sie ist eine Studentin." Der Professor: „Ja, das ist richtig. Die Antwort ist gut. Ein Mädchen ist kein Student. Ein Mädchen ist eine Studentin." Herr Schmidt: „Bitte, Herr Professor, ich verstehe das nicht. Warum sagen wir *das* Mädchen und nicht *die* Mädchen?" Der Professor: „Die Frage ist gut, Herr Schmidt. Es ist *die* Frau und *die* Schwester, aber es ist *das* Mädchen, denn *Mädchen* ist ein Diminutivum, und alle Diminutiva sind Neutra." Herr Schmidt: „Was sind die Diminutivendungen?" Der Professor: „Sie sind *-chen* und *-lein*. Auch *das* Fräulein ist ein Neutrum."

II. GRAMMAR

1. There are *three genders* in German: masculine, neuter, and feminine. The gender of a noun is indicated by the definite article.

> MASC. **der** Tisch the table
> NEUT. **das** Mädchen the girl
> FEM. **die** Frage the question

Since it is ordinarily not possible to determine the gender from the noun itself (see Appendix, pp. 202–203) *the article must be learned with each noun.*

2. There are *two numbers* in German, singular and plural. The plural article is always **die,** but the nouns themselves form their plurals in a variety of ways. Some make no change: das **Mädchen,** die **Mädchen;** some add the ending **–e:** der **Tag,** die **Tage;** some add the ending **–er:** das **Kind,** die **Kinder:** some add the ending **–n**

3

or –en: die **Frage**, die **Fragen**, der **Student**, die **Studenten**. Often the stem vowel is modified (Umlaut) in the plural: der **Mann**, die **Männer**. Since one cannot ordinarily predict how the plural of a noun will be formed, the plural should be learned with each new noun as it occurs.

For a more detailed discussion of noun plurals, see Appendix, pp. 203–205.

3. There are four cases: nominative, accusative, dative, genitive.

4. Nominative forms:

SINGULAR				PLURAL	
MASC.	NEUT.	FEM.		ALL GENDERS	
der	das	die	the	die	the
ein	ein	eine	a, an, one	—	
kein	kein	keine	not a, no	keine	not any, no
er	es	sie	he, it, she	sie	they
wer	was	wer	who, what	—	

Wer is the interrogative meaning *who;* **was** is the interrogative meaning *what.*

5. Uses of the nominative case:
    a. Subject of the sentence.
    b. Predicate noun after *be* or similar verbs.
    Das Mädchen ist **eine** Studentin. The girl is a student.

6. Personal pronouns of the third person agree in gender and number with the nouns for which they stand.

der Tisch	**er**
das Diminutivum	**es**
die Frage	**sie**
die Studenten	**sie**

7. Present tense of **sein**, *to be:*

ich bin	I am	**wir sind**	we are
du bist	you are (thou art)	**ihr seid**	you are
er, sie, es ist	he, she, it is	**sie sind**	they are
	Sie sind you are		

8. **Du** is used when speaking to an intimate friend, a member of the family, a child, or an animal; **ihr** is the plural of **du**; **Sie** is used for all other persons and is the most common form of address. It is both singular and plural and is always capitalized.

Wo bist du, Mutter?	Where are you, mother?
Wo seid ihr, Hans und Marie?	Where are you, Jack and Mary?
Wo sind Sie, Herr Schmidt?	Where are you, Mr. Smith?
Wo sind Sie, Herr Schmidt und Fräulein Weiß?	Where are you, Mr. Smith and Miss White?

9. In general, the article is used as in English. For exceptions, see Appendix, p. 201, I, D.

III. EXERCISES

A. *Read the paragraph at the top of page 3 (I) as often as is necessary in order to be able to answer the following questions orally without consulting the text.*

1. Was sagt der Professor? 2. Ist Herr Schmidt eine Studentin? 3. Ist Fräulein Weiß ein Student? 4. Sind Sie ein Student oder eine Studentin? 5. Ist ein Mädchen ein Student? 6. Ist Herr Schmidt dumm? 7. Sind Sie dumm? 8. Sind die Studenten und die Studentinnen hier? 9. Ist der Professor auch hier? 10. Was sind die Diminutivendungen?

B. *Fill in endings where necessary.*

1. Gut— Tag, Herr Professor! 2. D— Studentin ist ein— Mädchen. 3. Er ist ein— Student. 4. Sie ist ein— Studentin. 5. Ein— Mädchen ist hier. 6. D— Antwort ist richtig. 7. D— Frage ist nicht dumm. 8. D— Student— sind hier. 9. D— Studentin— sind auch hier. 10. Ist d— Mädchen dumm? 11. Kein— Antwort ist richtig. 12. Kein— Student ist hier. 13. Das ist kein— Mädchen. 14. Das sind kein— Student—.

C. *Change 2, 3, 4, 6, 7, 10, 11, 12, 13 above to plural.*

D. *Fill in the correct form of* you.

1. Was sagen —, Herr Schmidt? 2. Bist — hier, Marie? 3. Seid — hier, Hans und Marie? 4. Wo sind —, Herr Schmidt und Fräulein Weiß?

E. *Write in German.*

1. Hello, Mr. Smith, are you the professor? 2. Miss White is a student. 3. She isn't stupid. 4. Who is Mr. Smith? 5. Where is he? 6. Who is the girl? 7. Where is she? 8. Are she and Mr. Smith here? 9. Are you here, Hans? 10. What is a diminutive? 11. The question

is good; it's not stupid.   12. Why is the question good?   13. Is the answer correct?   14. Yes, it is correct.

IV. PATTERN DRILLS

1. *Answer the following questions affirmatively. Example:* Ist das Mädchen hier? Ja, das Mädchen ist hier.

(1) Ist der Professor hier? (6) Ist das Mädchen hier?
(2) Ist der Student hier? (7) Ist die Frage dumm?
(3) Ist der Herr hier? (8) Ist die Antwort richtig?
(4) Ist die Studentin hier? (9) Ist die Endung richtig?
(5) Ist die Schwester hier? (10) Ist die Frau hier?

2. *Answer the following questions affirmatively. Example:* Ist das eine Endung? Ja, das ist eine Endung.

(1) Ist das ein Professor? (6) Ist das eine Frage?
(2) Ist das ein Student? (7) Ist das eine Endung?
(3) Ist das ein Herr? (8) Ist das eine Antwort?
(4) Ist das ein Mädchen? (9) Ist das eine Studentin?
(5) Ist das ein Neutrum? (10) Ist das eine Frau?

3. *Answer the following questions in the negative, using the correct form of* kein. *Example:* Ist das ein Student? Nein, das ist kein Student.

(1) Ist Fritz ein Student? (5) Ist das eine Frage?
(2) Ist Herr Schmidt ein Professor? (6) Ist das ein Fräulein?
(3) Ist Fräulein Weiß eine Studentin? (7) Ist das eine Frau?
(4) Ist das eine Endung? (8) Ist das ein Mädchen?

4. *Answer the following questions negatively, replacing each noun by a pronoun. Example:* Ist die Schwester hier? Nein, sie ist nicht hier.

(1) Ist der Professor hier? (6) Ist die Frau gut?
(2) Ist Herr Schmidt hier? (7) Ist die Antwort richtig?
(3) Ist der Student dumm? (8) Sind die Antworten richtig?
(4) Ist das Mädchen dumm? (9) Sind die Frauen hier?
(5) Ist die Studentin hier? (10) Sind die Mädchen hier?

5. *Imitate the following statements, using the noun or pronoun suggested. Example:* Die Frage ist gut. die Antworten. Die Antworten sind gut.

(1) Ich bin nicht dumm.   du

(2) Du bist hier.   der Professor
(3) Hans ist nicht hier.   ich
(4) Ihr seid hier.   die Studentinnen
(5) Du bist hier.   wir
(6) Die Fragen sind richtig.   die Antwort
(7) Wir sind hier.   ihr
(8) Fräulein Weiß ist nicht dumm.   er
(9) Ein Student ist hier.   ich

6. *Change the following sentences to the plural. Example:* Die Endung ist nicht richtig. Die Endungen sind nicht richtig.

   (1) Die Frau ist nicht hier.
   (2) Die Frage ist gut.
   (3) Die Antwort ist richtig.
   (4) Die Studentin ist hier.
   (5) Die Schwester ist auch hier.
   (6) Der Herr ist auch hier.
   (7) Der Professor ist nicht hier.
   (8) Der Student ist auch nicht hier.
   (9) Der Tag ist gut.
  (10) Das Mädchen ist nicht hier.
  (11) Die Frau ist auch nicht hier.

7. *Add the correct German expression for* Where are you? *to the following nouns: Example:* Marie!   Marie, wo bist du?

   (1) Hans!   (5) Marie und Fritz!
   (2) Frau Schmidt!   (6) Herr Professor!
   (3) Hans und Fritz!   (7) Fritz!
   (4) Fräulein Weiß!   (8) Frau Professor!

8. *Change the following sentences to the plural. Example:* Das ist keine Endung. Das sind keine Endungen.

   (1) Das ist keine Frau.   (5) Das ist kein Professor.
   (2) Das ist keine Antwort.   (6) Das ist kein Student.
   (3) Das ist keine Frage.   (7) Das ist kein Herr.
   (4) Das ist keine Studentin.   (8) Das ist kein Mädchen.

CHAPTER 2

Vocabulary

der **Freund**, –e friend (male)	**schon** already
der **Tisch**, –e table	**so** so
das **Buch**, –er book	**wie** how
die **Arbeit**, –en work	**bis** till, until
die **Freundin**, –nen friend (female)	**durch** through
die **Grammatik**, –en grammar	**für** for
die **Stunde**, –n hour	**gegen** against, toward
die **Tür**, –en door	**ohne** without
	um around; in order to
antworten answer	**zu** to; too (*as in* too much, *not* also)
arbeiten work	
fragen ask	**eins** one
gehen go, walk	**zwei** two
haben have	**drei** three
kennen know (*a person, place or thing*)	**vier** four
kommen come	**fünf** five
lernen learn	**sechs** six
zählen count	**sieben** seven
	acht eight
jeder each, every	**neun** nine
viel much, a lot	**zehn** ten
viele many	

jetzt now	IDIOM
lange a long time, long	**jeden Tag** every day

Present Tense of Regular Verbs
Accusative Case

I. READING

Der Professor kommt durch die Tür und geht um den Tisch. Er kennt uns jetzt schon und fragt: „Herr Schmidt, wie lange arbeiten Sie jeden Tag?" Herr Schmidt antwortet: „Ich arbeite jeden Tag acht bis zehn Stunden." „O," sagt der Professor, „ist das nicht zu viel für Sie?" „Nein," antwortet Herr Schmidt, „alle Studenten arbeiten so viel. Es ist nicht zu viel für uns." Der Professor fragt ihn jetzt: „Haben Sie eine Grammatik?" „Ja," antwortet er, „aber ich habe sie nicht hier." Der Professor fragt jetzt Fräulein Weiß: „Haben Sie ein Buch?" Sie antwortet: „Ja, ich habe ein Buch, aber ich habe es auch nicht hier." „So," sagt der Professor, „aber wir lernen auch ohne Bücher. Wir zählen jetzt bis zehn." Und alle Studenten zählen: eins, zwei, drei, vier, fünf, sechs, sieben, acht, neun, zehn.

II. GRAMMAR

1. There is only one way of expressing present time in German: **ich sage** = *I say, I am saying, I do say.*

2. The present infinitive normally ends in **–en: sagen, arbeiten.** But after **el** and **er** this is shortened to **–n: lächeln, wandern.**

3. To form the present tense of regular verbs, add to the stem (which is found by dropping the ending from the infinitive) the personal endings: **–e, –(e)st, –(e)t, –en, –(e)t, –en.**

ich	sage	ich	arbeite
du	sagst	du	arbeitest
er	sagt	er	arbeitet
wir	sagen	wir	arbeiten
ihr	sagt	ihr	arbeitet
sie	sagen	sie	arbeiten
Sie	sagen	Sie	arbeiten

9

The –e– in second person singular and plural and in third person singular is added when the stem ends in –d or –t.

4. Present tense of **haben,** *to have*

ich habe   wir haben
du hast   ihr habt
er hat   sie haben
Sie haben

5. Accusative forms:

a.

	SINGULAR			PLURAL	
MASC.	NEUT.	FEM.		ALL GENDERS	
den	**das**	**die**	the	**die**	the
einen	**ein**	**eine**	a, an, one	—	
keinen	**kein**	**keine**	not a, no	**keine**	no, not any
ihn	**es**	**sie**	him, it, her	**sie**	them
wen	**was**	**wen**	whom, what	—	

b. Personal pronouns, first and second person:

SINGULAR			PLURAL		
mich me	**dich** you		**uns** us	**euch** you	
	Sie you			**Sie** you	

c. The accusative of nouns is with few exceptions (see Appendix, pp. 203–204, § II, B2) like the nominative: **der Tisch — den Tisch. Der Student** adds –en and **der Herr** adds –n to all cases in the singular, except the nominative.

6. Uses of the accusative:

a. As a direct object:

Die Studentin hat **ein Buch,** aber sie hat **es** nicht hier.

b. After certain prepositions; prepositions always taking the accusative:

durch through   **ohne** without (*indefinite article usually*
für for   *omitted with following noun*)
gegen against, toward   **um** around

Memorize this list!

c. Without a preposition to express definite time or duration of time:

Wir arbeiten **jeden Tag.**   We work *every day.*
Der Student arbeitet **eine Stunde.**   The student works *for an hour.*

7. Any adjective may be used as an adverb:

Die Frage ist **gut**.	The question is *good*.
Er arbeitet **gut**.	He works *well*.

III. EXERCISES

A. *Answer orally, after familiarizing yourself thoroughly with I, p. 9.*

1. Kommt ein Professor durch die Tür? 2. Geht er um den Tisch? 3. Kennt er die Studentin? 4. Kennt er auch den Studenten? 5. Kennen Sie den Professor? 6. Kennen Sie schon alle Studenten? 7. Haben Sie viele Bücher? 8. Wie lange arbeiten Sie jeden Tag? 9. Ist das zu viel für Sie? 10. Haben Sie einen Freund? 11. Kennen Sie ihn gut? 12. Arbeitet er auch so viel? 13. Ist es zu viel für ihn? 14. Verstehen Sie die Frage? 15. Verstehen Sie alle Fragen und Antworten?

B. *Underline all accusative nouns and pronouns in* I.

C. *Fill in endings where necessary.*

1. Er hat kein— Buch. 2. Wir arbeit— viel— Stunden. 3. D— Mädchen kommt durch d— Tür. 4. Er hat kein— Freundin. 5. Er kenn— d— Professor. 6. Du arbeit— jed— Tag für ein— Freund. 7. Ein— Student geh— um d— Tisch. 8. Ich hab— viel— Freund—. 9. Wir lern— ohne Büch—. 10. D— Professor kenn— alle Student— und Studentin—. 11. Kein— Student lern— ohne d— Professor. 12. Er hat kein— Tisch. 13. Ich hab— viel— Freund—. 14. Ein— Mädchen geh— durch ein— Tür.

D. *Change everything possible in* 1, 3, 4, 5, 7, 11, 12 *above to plural.*

E. *Replace nouns in italics by pronouns.*

1. *Der Student* fragt *einen Freund*. 2. *Der Tisch* ist hier. 3. *Der Professor* kennt *die Studentin*. 4. Wir lernen *die Grammatik*. 5. *Die Studentin* hat *ein Buch*.

F. *Write in German.*

1. A (male) student comes through the door. 2. The professor knows him and asks him, "Mr. Smith, have you a book?" 3. The student answers, "No, I have no book. 4. I learn the grammar without the book. 5. I have a friend; he works seven hours every day. 6. But I don't work much; I'm against (the) work." 7. A girl now comes

through the door. 8. The professor knows the girl too and asks her, "Miss White, do you understand the grammar?" 9. She answers, "Yes, I understand it well." 10. "Good," says the professor, "now let's count (**zählen wir**) to (**bis**) ten: one, two, three, four, five, six, seven, eight, nine, ten."

IV. PATTERN DRILLS

1. *Answer the following questions negatively in the first person singular.*
   Example: Lernen Sie die Grammatik? Nein, ich lerne die Grammatik nicht.

(1) Kennen Sie den Studenten?   (5) Haben Sie das Buch?
(2) Verstehen Sie den Freund?   (6) Kennen Sie das Mädchen?
(3) Verstehen Sie die Freundin?   (7) Verstehen Sie die Frau?
(4) Verstehen Sie die Fragen?   (8) Kennen Sie die Studenten?

2. *Restate the following sentences, replacing the definite with the indefinite article. Example:* Er kennt das Mädchen. Er kennt ein Mädchen.

(1) Er fragt den Bruder.
(2) Ich frage den Freund.
(3) Wir kennen den Herrn.
(4) Er hat das Buch.
(5) Der Student hat die Antwort.
(6) Hans kommt durch die Tür.
(7) Wir fragen das Mädchen.
(8) Er arbeitet für den Freund.
(9) Er ist ohne das Mädchen hier.
(10) Sie geht um den Tisch.

3. *Change the nouns in the following sentences to the plural. Example:* Ich kenne den Herrn nicht. Ich kenne die Herren nicht.

(1) Ich verstehe den Freund nicht.
(2) Sie kennt den Studenten.
(3) Er versteht die Frage nicht.
(4) Er arbeitet für das Mädchen.
(5) Sie kennt das Buch gut.
(6) Wer kennt die Frau?
(7) Sie gehen durch die Tür.
(8) Er geht nicht um den Tisch.
(9) Wer kennt den Professor?
(10) Ich verstehe die Antwort nicht.

4. *Complete the following sentences, using the noun suggested with the accusative of the definite article.* *Example:* Freund — Er kommt ohne ... Er kommt ohne den Freund.

(1) Arbeit — Er ist gegen ...
(2) Schwester — Er arbeitet für ...
(3) Buch — Er lernt ohne ...
(4) Tür — Er geht durch ...
(5) Student — Er arbeitet für ...
(6) Mädchen — Er kommt ohne ...
(7) Tisch — Er geht um ...
(8) Herr — Er antwortet für ...
(9) Freundin — Sie kommt ohne ...

5. *Complete the following sentences, using the noun suggested with the accusative of the indefinite article.* *Example:* Herr — Er arbeitet für ... Er arbeitet für einen Herrn.

(1) Mädchen — Er arbeitet für ...
(2) Freund — Er antwortet für ...
(3) Frau — Er arbeitet für ...
(4) Tisch — Wir gehen um ...
(5) Tür — Wir gehen durch ...
(6) Student — Er arbeitet für ...
(7) Herr — Er arbeitet für ...

6. *Change the nouns in the following sentences to the plural.* *Example:* Er kommt ohne den Freund. Er kommt ohne die Freunde.

(1) Er kommt ohne die Freundin.
(2) Sie geht um den Tisch.
(3) Wir arbeiten für die Frau.
(4) Du antwortest für das Mädchen.
(5) Wir lernen nicht ohne den Professor.
(6) Er geht nicht durch die Tür.
(7) Er kommt ohne die Schwester.
(8) Ihr arbeitet für den Freund.

7. *Imitate the following statements, using the noun or pronoun suggested.* *Example:* Wir antworten nicht. ihr Ihr antwortet nicht.

(1) Wir verstehen es nicht.   du
(2) Fritz und Marie lernen es nicht.   der Student
(3) Wir gehen jetzt auch.   er
(4) Du kommst jeden Tag.   ich

(5) Du hast einen Freund.　　ihr
(6) Ihr antwortet jetzt nicht.　　wir
(7) Der Herr kennt den Professor.　　Marie
(8) Er hat keine Freunde.　　die Studentinnen
(9) Fräulein Weiß ist eine Studentin.　　die Mädchen
(10) Ich arbeite schon lange.　　du
(11) Ich habe einen Tisch.　　der Student

8. *Answer the following questions affirmatively in the first person plural, substituting pronouns for noun objects. Example:* Kennen Sie die Frau? Ja, wir kennen sie.

(1) Kennen Sie den Professor?
(2) Kennen Sie den Herrn?
(3) Kennen Sie den Freund?
(4) Kennen Sie die Schwester?
(5) Kennen Sie die Studentin?
(6) Kennen Sie das Mädchen?
(7) Kennen Sie das Buch?
(8) Kennen Sie die Studentinnen?
(9) Kennen Sie den Studenten?
(10) Kennen Sie die Studenten?
(11) Kennen Sie die Herren?

9. *Restate the following sentences, replacing nouns by pronouns. Example:* Ich kenne den Professor nicht.　Ich kenne ihn nicht.

(1) Sie fragen den Freund.
(2) Er hat das Buch.
(3) Sie versteht die Frage nicht.
(4) Er zählt die Bücher.
(5) Ich kenne die Studentin nicht.
(6) Er kennt die Frau.
(7) Ich frage den Herrn nicht.
(8) Ich frage die Herren nicht.

10. *Answer the questions affirmatively in the first person singular, replacing nouns by pronouns. Example:* Kommen Sie ohne die Schwester? Ja, ich komme ohne sie.

(1) Gehen Sie ohne den Freund?
(2) Kommen Sie ohne die Freundin?
(3) Arbeiten Sie für den Herrn?
(4) Arbeiten Sie für die Frau?

(5) Sind Sie gegen den Professor?
(6) Antworten Sie für den Studenten?
(7) Kommen Sie ohne die Freunde?
(8) Antworten Sie für die Mädchen?

II. *Answer the question which follows the initial statement, using a number one higher than the one used in the statement. Example:* Ich habe fünf Bücher. Wie viele haben Sie? Ich habe sechs Bücher.

(1) Ich habe acht Bücher. Wie viele haben Sie?
(2) Ich habe einen Tisch. Wie viele haben Sie?
(3) Ich habe zwei Brüder. Wie viele haben Sie?
(4) Ich kenne fünf Mädchen. Wie viele kennen Sie?
(5) Ich arbeite sieben Stunden. Wie viele arbeiten Sie?
(6) Ich verstehe drei Fragen. Wie viele verstehen Sie?
(7) Ich kenne neun Studenten. Wie viele kennen Sie?
(8) Ich habe vier Schwestern. Wie viele haben Sie?
(9) Ich habe sechs Freunde. Wie viele haben Sie?
(10) Ich habe kein Buch. Wie viele haben Sie?

CHAPTER 3

Vocabulary

der **Krieg,** –e   war
der **Sommer,** –   summer

*(das) **Deutschland**   Germany
das **Dorf,** –er   village
das **Jahr,** –e   year
das **Leben,** –   life
das **Tagebuch,** –er   diary

die **Freundlichkeit**   friendliness
die **Hilfe**   help
die **Klasse,** –n   class
die **Literatur',** –en   literature
die **Reise,** –n   trip
die **Stadt,** –e   city, town

danken   thank
dienen   serve
erzählen   tell
gefallen   please
gehören   belong to
gelingen   succeed
helfen   help
machen   make, do
reisen   travel
schenken   give, present
schreiben   write
wohnen   live, dwell
zeigen   show

besser   better
freundlich   friendly
klug   intelligent, smart

da   there
dort   there
heute   today
immer   always
nun   now
nur   only
oft   often
sehr   very

etwas   something
wenig   little (*in quantity*)

aus   out of, from
außer   besides, except (for)
bei   next to, by, with
mit   with
nach   to; after; according to
seit   since
von   from, of, about, by (*agent*)
zu   to

Idioms

jedes Jahr   every year
eine Reise machen   take a trip

*The article before names of cities and countries is placed in parentheses to indicate that it is not ordinarily used with such names.

Dative Case · Word Order

I. READING

Heute sagt der Professor zu der Klasse: „Wir lernen hier nicht nur Grammatik. Wir lernen auch etwas von dem Leben in Deutschland und auch ein wenig von der Literatur. Seit dem Krieg reise ich jedes Jahr nach Deutschland, und ich erzähle Ihnen nun jeden Tag ein wenig von einer Stadt oder einem Dorf oder auch von dem Leben dort. In Deutschland wohne ich oft bei einem Freund, und jeden Sommer mache ich mit ihm eine Reise durch Städte und Dörfer. Er kennt Deutschland gut und zeigt mir viel. Er hat eine Schwester, und sehr oft reist sie auch mit uns. Die Freunde helfen mir, Deutschland besser zu verstehen. Ich frage sie viel, und sie antworten mir immer freundlich und klug. Nach der Reise schreibe ich ein Tagebuch für den Freund und schenke es ihm. So danke ich ihm für alle Freundlichkeit und Hilfe."

II. GRAMMAR

1. Dative forms:

a.

SINGULAR				PLURAL	
MASC.	NEUT.	FEM.		ALL GENDERS	
dem	dem	der	(to) the	den	(to) the
einem	einem	einer	(to) a, an	—	
keinem	keinem	keiner	(to) not a, no	keinen	(to) not any, no
ihm	ihm	ihr	(to) him, it, her	ihnen	(to) them
wem	—	wem	(to) whom	—	

b. Personal pronouns, first and second person:

SINGULAR				PLURAL			
mir (to) me	dir	(to) you		uns (to) us		euch	(to) you
	Ihnen	(to) you				Ihnen	(to) you

c. The dative singular of nouns is with few exceptions (see Appendix, pp. 203–204) like the nominative. The ending –e on masculine and neuter monosyllables is optional: **dem Freund** or **dem Freunde**. The dative plural of nouns always adds **–n**, if the nominative plural does not end in **–n**: **die Freunde, den Freunden; die Studenten, den Studenten.**

17

2. Uses of the dative:

    a. As indirect object:

        Er zeigt **mir** die Stadt.   He shows me the city.

    b. After certain prepositions; prepositions always taking the dative:

aus out of, from	**nach** to (*with names of cities and*
außer besides, except (for)	*countries*); after; according to
bei next to, by, with	**seit** since
mit with	**von** from, of; by (*agent*)
	zu to

    Memorize this list!

    c. After certain verbs: **antworten** answer, **danken** thank, **dienen** serve, **gefallen** please, **gehören** belong to, **gelingen** succeed, **folgen** follow, **helfen** help.

        Ich helfe **ihm,** und er dankt **mir.**   I help him and he thanks me.

3. Word order:

    a. The most important point to remember about word order in German is that in a simple declarative sentence *the verb is always the second element.* The first element may be either the subject (normal order) or any other element placed at the beginning (inverted order).

        Normal: Mein Freund **reist** jeden Sommer nach Deutschland.
        Inverted: Jeden Sommer **reist** mein Freund nach Deutschland.

    b. The conjunctions **aber, denn, oder, sondern, und** are not an integral part of the clause and therefore do not affect the word order.

        Ich reise oft mit ihm, denn   I often travel with him, for he is
          er ist mein Freund.   my friend.

    c. Adverbs never stand between subject and verb (as they so often do in English). The beginner in German should follow the rule that *nothing may stand between subject and verb.*

        Ich gehe oft mit ihm.   I often go with him.

    d. Word order within the predicate:

        (1) Order of objects:

            A personal pronoun object *always* stands directly after the verb, or, in inverted order, directly after the subject.

Ich schenke ihm ein Buch.
Ich schenke es dem Freund.
Nun schenke ich ihm ein Buch.

If there are two pronoun objects, the direct object stands first.

Ich schenke es ihm.

If there are two noun objects, the indirect object stands first.

Ich schenke dem Freund ein Buch.

(2) An expression of time precedes an expression of place.

Ich gehe jeden Sommer   I go to Germany every summer.
nach Deutschland.

(3) An infinitive stands at the end and is regularly introduced by **zu.**

Sie helfen mir, Deutschland   They help me to understand
besser zu verstehen.   Germany better.

III. EXERCISES

A. *Answer orally, after familiarizing yourself thoroughly with I, p. 17.*

1. Was lernen die Studenten hier? 2. Wie oft geht der Professor nach Deutschland? 3. Seit wann reist er so oft? 4. Erzählt er den Studenten von den Städten in Deutschland? 5. Erzählt er ihnen auch von den Dörfern? 6. Reisen Sie auch oft nach Deutschland? 7. Verstehen Sie viel von dem Leben dort? 8. Machen Sie jeden Sommer eine Reise? 9. Helfen Freunde Ihnen bei der Arbeit? 10. Danken Sie dem Freund oder der Freundin für die Hilfe? 11. Bei wem wohnt der Professor in Deutschland? 12. Mit wem reist er? 13. Wie helfen die Freunde ihm? 14. Für wen schreibt er ein Tagebuch? 15. Wem schenkt er es?

B. *Fill in endings where necessary.*

1. Ich schenk— d— Freund ein— Buch. 2. Wir mach— ein— Reise mit d— Professor. 3. Wir helf— d— Freund. 4. Ich dank— d— Freundin für d— Hilfe. 5. Er komm— aus ein— Dorf. 6. Sie komm— aus ein— Stadt. 7. Ich arbeit— oft mit ein— Freund oder ein— Freundin. 8. Ich mach— kein— Reise ohne d— Freund. 9. Nach ein— Reise schreib— ich immer ein— Tagebuch. 10. Wir

erzähl— d— Freunden von d— Leben in Deutschland. 11. Wir zeigen d— Freundinnen d— Stadt. 12. Ich bin seit ein— Jahr hier. 13. Ich mache jed— Sommer ein— Reise. 14. D— Freund— reisen jed— Jahr.

C. *Change nouns to pronouns in* 1, 2, 3, 7, 11 *above, changing the order of objects when necessary.*

D. *Restate the sentences in* B, *changing everything possible to the plural.*

E. *Restate the following sentences, beginning with the italicized words.*

1. Wir arbeiten *jeden Tag* acht Stunden. 2. Wie reisen *jedes Jahr* nach Deutschland. 3. Wir lernen *hier* nicht nur Grammatik. 4. Wir lernen nicht *ohne Bücher*. 5. Er wohnt *oft* bei seinem Freund.

F. *Connect the following sentences by the conjunctions indicated.*

1. Ich kenne Deutschland nicht. Ich kenne Amerika gut. (*aber*)
2. Herr Schmidt hat eine Schwester. Sie reist oft mit ihm. (*und*)
3. Er kennt Deutschland gut. Er ist oft dort. (*denn*)

G. *In the following sentences change everything possible to plural.*

1. In dem Tagebuch schreibt der Student von der Reise. 2. Er reist mit einem Freund durch die Stadt und durch das Dorf. 3. Die Frau und das Mädchen kommen aus der Stadt und helfen ihm. 4. Der Tag ist nicht lang, aber das Jahr ist sehr lang. 5. Ich habe keinen Freund und auch keine Schwester. 6. Versteht der Professor mich?

H. *Write in German.*

1. A student says to the professor, "Do you go to Germany often?" 2. Since the war he goes every year. 3. Every day he tells the students something about Germany. 4. He also tells them a little about the life there. 5. He knows Germany well. 6. He often travels with a friend from (*aus*) Germany. 7. Every summer they take a trip. 8. Have you a sister? 9. Do you often take a trip with her? 10. Do you come from (*aus*) a city or from a village? 11. Do you write a diary after a trip? 12. Do you give it to a friend? 13. Do they help you?

IV. PATTERN DRILLS

1. *Change the definite to the indefinite article.* *Example:* von dem Mädchen
   — von einem Mädchen.

(1) bei dem Tisch	(8) von dem Buch
(2) zu dem Herrn	(9) bei der Reise
(3) aus dem Krieg	(10) aus der Stadt
(4) mit dem Freund	(11) nach der Stunde
(5) mit dem Mädchen	(12) zu der Freundin
(6) aus dem Dorf	(13) außer dem Studenten
(7) seit dem Jahr	

2. *Change from nominative to dative, retaining the article used in each case.*
   Examples: der Freund — dem Freund; eine Stunde — einer Stunde.

(1) der Tag	(6) die Hilfe	(11) ein Dorf
(2) der Sommer	(7) die Literatur	(12) ein Jahr
(3) der Krieg	(8) ein Tisch	(13) eine Tür
(4) das Mädchen	(9) ein Freund	(14) eine Reise
(5) das Leben	(10) ein Buch	

3. *Answer the following questions affirmatively in the first person singular.*
   Example: Wohnt der Freund bei Ihnen? Ja, er wohnt bei mir.

(1) Arbeitet der Freund mit Ihnen?	(5) Zeigt er Ihnen eine Stadt?
(2) Macht er eine Reise mit Ihnen?	(6) Dankt er Ihnen für die Hilfe?
(3) Erzählt er Ihnen etwas?	(7) Reist er sehr oft mit Ihnen?
(4) Schenkt er Ihnen etwas?	(8) Helfen die Freunde Ihnen?

4. *Form prepositional phrases with the preposition and the noun given, first
   with the definite, then with the indefinite article.* *Example:* der Freund
   — mit: mit dem Freund; ein Freund — mit: mit einem Freund.

(1) das Buch — aus	(5) der Krieg — nach
ein Buch — aus	ein Krieg — nach
(2) der Freund — außer	(6) das Jahr — seit
ein Freund — außer	ein Jahr — seit
(3) das Dorf — bei	(7) das Mädchen — von
ein Dorf — bei	ein Mädchen — von
(4) der Professor — mit	(8) der Herr — zu
ein Professor — mit	ein Herr — zu

5. *Restate the following sentences, placing the last word or phrase first and
   changing the word order as required.* *Example:* Er schenkt es mir heute.
   Heute schenkt er es mir.

(1) Das Mädchen ist hier.   (5) Wir verstehen schon ein wenig.
(2) Sie kommt jedes Jahr.   (6) Wir zeigen es ihm jeden Tag.
(3) Wir lernen es jetzt.   (7) Er ist nicht bei uns.
(4) Die Schwester wohnt dort.   (8) Die Studenten lernen viel hier.

6. *Answer affirmatively, changing nouns to pronouns. Example:* Zeigt er dem
   Studenten etwas? Ja, er zeigt ihm etwas.

(1) Schenkt er dem Studenten etwas?
(2) Schenkt er es dem Studenten?
(3) Zeigt er dem Freund etwas?
(4) Zeigt er es dem Freund?
(5) Erzählt er der Studentin etwas?
(6) Erzählt er es der Studentin?
(7) Zeigt er den Freunden etwas?
(8) Zeigt er es den Freunden?

7. *Form prepositional phrases with the preposition given, first with the definite,
   then with the indefinite article. Example:* die Stadt — aus: aus der
   Stadt; eine Stadt — aus: aus einer Stadt.

(1) die Klasse — aus   (5) die Stunde — nach
    eine Klasse — aus   eine Stunde — nach
(2) die Freundin — außer   (6) die Stunde — seit
    eine Freundin — außer   eine Stunde — seit
(3) die Schwester — bei   (7) die Tür — von
    eine Schwester — bei   eine Tür — von
(4) die Frau — mit   (8) die Studentin — zu
    eine Frau — mit   eine Studentin — zu

8. *Answer affirmatively, changing nouns to pronouns. Example:* Geht er
   heute mit dem Freund? Ja, er geht heute mit ihm.

(1) Wohnt er bei dem Freund?
(2) Reist er immer mit der Schwester?
(3) Geht er heute zu dem Herrn?
(4) Kommt sie jetzt von dem Studenten?
(5) Reist er oft mit dem Freund?
(6) Reist sie heute mit den Freunden?
(7) Erzählt sie uns von der Frau?
(8) Wohnt er bei den Freunden?
(9) Geht sie schon zu den Mädchen?

9. *Restate the following sentences, changing the dative nouns to the plural.*
   Example: Er kommt von der Studentin.   Er kommt von den
   Studentinnen.

(1) Er kommt nicht von dem Herrn.
(2) Er schenkt es dem Mädchen.
(3) Er dankt der Schwester.
(4) Er erzählt uns viel von dem Buch.
(5) Er zeigt es der Frau nicht.
(6) Er reist nicht mit dem Studenten.
(7) Er erzählt von dem Tag in Deutschland.
(8) Heute erzählt er ihm von dem Dorf.
(9) Sie erzählt von dem Jahr in Deutschland.

10. *Answer the following questions affirmatively in the first person singular,*
    replacing nouns by pronouns. Example: Helfen Sie der Freundin oft?
    Ja, ich helfe ihr oft.

(1) Helfen Sie dem Freund sehr oft?
(2) Danken Sie dem Freund immer?
(3) Antworten Sie dem Professor?
(4) Folgen Sie dem Freund heute?
(5) Helfen Sie der Frau jeden Tag?
(6) Folgen Sie den Freunden heute?
(7) Danken Sie den Freunden immer?
(8) Helfen Sie den Mädchen jeden Tag?

CHAPTER 4

Vocabulary

der **Baum,** –e tree
der **Mensch,** –en* human being, man
der **Morgen,** — morning
der **Radfahrweg,** –e bicycle path
der **Schäfer,** — shepherd
der **Sonntag,** –e Sunday
der **Wald,** –er forest, woods
der **Weg,** –e way, path, road
der **Wind,** –e wind

das **Land,** –er country, land
das **Rad,** –er bicycle, wheel
das **Schaf,** –e sheep
das **Zimmer,** — room

die **Birke,** –n birch, birch tree
die **Fortsetzung,** –en continuation
die **Heide** heather, heather country
die **Herde,** –n flock, herd
die **Landstraße,** –n highway
die **Seite,** –n side
die **Sonne,** –n sun
die **Straße,** –n street

fahren ride, drive
hören hear

sehen see
stehen stand

einsam lonely
Lüneburger of Lüneburg (*a city in northern Germany*)
mehr more
schön beautiful, pretty, nice
schwarz black
still quiet, still
wirklich real

wohin where to, where

an at, to, on
auf upon, on, onto
hinter behind
in in, into
neben beside
über, over, above; about
unter under, below; among
vor in front of, before, ago
zwischen between

IDIOMS

Fortsetzung folgt to be continued
eine Herde Schafe a flock of sheep

*See Appendix, p. 203, B.

Prepositions with Dative or Accusative

I. READING

Der Professor kommt ins Zimmer und geht an den Tisch. Er steht davor und sagt: „Heute erzähle ich Ihnen von einer Reise in die Lüneburger Heide. An einem Sonntag Morgen fahre ich mit einem Rad durch das Land. Peter, der Freund aus Deutschland, ist bei mir, und wir fahren auf dem Radfahrweg neben der Landstraße. Die Landstraße ist sehr schön, denn an den Seiten stehen Birken, und zwischen den Bäumen sehen wir die Heide unter der Morgensonne. Hier sind keine Menschen außer einem Schäfer mit einer Herde Schafe. Der Schäfer geht mit den Schafen über die Heide und hinter einen Wald, und wir sehen sie nicht mehr. Jetzt kommen wir von der Landstraße auf einen Heideweg, und nun sind wir wirklich in der Heide. Hier ist es sehr einsam, denn wir sehen nur Heide und hier und da Birken. Es ist auch sehr still, und wir hören nur den Wind in den Bäumen über uns. Es ist schön, so durch die Heide zu fahren.

(Fortsetzung folgt)

II. GRAMMAR

1. The following prepositions take the accusative when they express *motion toward* the object of the preposition, i.e., when they answer the question: *to* or *toward* what place? They take the dative when no motion toward the object is expressed, i.e., when they answer the question: *in* or *at* what place?

an at, to; on (when vertical position, as *on the wall* is meant)	**neben** beside
	über over, above; about
auf upon, on, onto	**unter** under, below; among
hinter behind	**vor** in front of, before; ago
in in, into	**zwischen** between

This list should be memorized!

Sie **geht** in **das** Haus.	She goes into the house.
Sie **wohnt** in **dem** Haus.	She lives in the house.

25

Note: When the above prepositions are not used in their literal sense, referring to space, they often take the accusative.

Er erzählt uns ein wenig über **die** Reise.	He tells us a little about the trip.

2. Prepositions are often contracted with the definite article.

an dem — am	auf das — aufs	vor das — vors
in dem — im	bei dem — beim	zu dem — zum
an das — ans	von dem — vom	zu der — zur
in das — ins	vor dem — vorm	

3. Personal pronouns referring to things are not used with prepositions; instead, **da-** is used (or **dar-,** if the preposition begins with a vowel).

Hier ist ein Tisch; ich stehe **daneben,** und **darauf** ist ein Buch.	Here is a table; I am standing beside it, and on it is a book.

but:

Hier ist mein Freund; ich wohne bei **ihm.**	Here is my friend; I am living with him.

4. Correspondingly, in questions **wo** is used in place of pronouns referring to things.

Wofür danken Sie ihm? Ich danke ihm für das Buch. Ja, ich danke ihm **dafür.**	What do you thank him for? I thank him for the book. Yes, I thank him for it.

III. EXERCISES

A. *Answer orally on the basis of I, p. 25. Whenever possible, replace nouns by pronouns or by* **da** *with a preposition.*

1. Der Professor kommt ins Zimmer. Wohin geht er? 2. Wo steht er? 3. Stehen Sie vor dem Tisch? 4. Stehen Sie hinter dem Tisch? 5. Wohin macht der Professor eine Reise? 6. Wann macht er sie? 7. Wo ist der Radfahrweg? 8. Haben wir in Amerika Radfahrwege? 9. Wo stehen die Birken? 10. Sind sie schwarz oder weiß? 11. Wen sehen die Freunde auf der Heide? 12. Wohin geht der Schäfer mit der Herde Schafe? 13. Wohin kommen die Freunde von der Landstraße? 14. Wo sind sie nun? 15. Was sehen sie hier? 16. Wo hören sie den Wind? 17. Ist es schön, durch die Heide zu fahren?

B. *Fill in endings where necessary.*

1. D— Schäfer steht unter ein— Baum. 2. Neben d— Schäfer ist ein— Schaf. 3. Wir fahren durch ein— Wald. 4. D— Studenten kommen in ein— Zimmer. 5. D— Zimmer sind schön. 6. Wir fahren von d— Stadt in ein— Dorf. 7. In ein— Wald stehen viel— Bäum—. 8. Zwischen d— Landstraße und d— Bäum— ist ein— Radfahrweg. 9. Ich mache jed— Jahr ein— Reise. 10. Wir fahren an ein— Sonntag Morgen. 11. Hinter d— Wald ist d— Heide. 12. Es ist sehr schön in d— Heide. 13. Wir gehen zu ein— Schäfer. 14. Er geht in d— Wald.

C. *Change nouns in italics to pronouns or to* da(r).

1. Wir sind jetzt im *Walde*. 2. Ich fahre auf *der Landstraße*. 3. Ich höre *den Wind* in *den Bäumen*. 4. Der Mann steht hinter *dem Baum*. 5. Wir sehen *den Schäfer* und *die Schafe*. 6. Wir zeigen *dem Schäfer das Rad*. 7. Ich kenne *die Stadt* gut. 8. Er geht mit *der Freundin* und mit *dem Freund*. 9. Wir gehen mit *den Freunden*.

D. *Use each of the following groups of words in short sentences.*

1. Mädchen, arbeiten, auf, Feld. 2. ich, fahren, in, Heide. 3. Schäfer, stehen, neben, Straße. 4. Professor, erzählen, von, Reise. 5. Freund, gehen, in, Wald. 6. Frau, stehen, hinter, Haus. 7. Freundin, gehen, durch, Stadt. 8. ich, gehen, an, Sonntag Morgen. 9. Student, kommen, zu, ich. 10. Frau, gehen, auf, Feld. 11. Mensch, stehen, unter, Baum. 12. Freund, kommen, über, Straße.

E. *Write in German.*

1. The professor is already in the room. 2. He is standing at a table in front of the class. 3. Often he goes behind the table, but today he is standing in front of it. 4. He is standing between the table and the class. 5. He is telling the students about a trip into the heather country. 6. The two friends are riding on a bicycle path. 7. The birch trees at the side are very beautiful. 8. Under a tree they see a shepherd. 9. He is walking over the highway with a flock of sheep. 10. Now the friends come to a forest. 11. They go into the forest and onto a heather path. 12. Where are they going?

IV. PATTERN DRILLS

1. *Change definite to indefinite articles. Example:* Er ist in dem Dorf. Er
   ist in einem Dorf.

   (1) Ich gehe an den Tisch.
   (2) Ich stehe an dem Tisch.
   (3) Sie fahren in den Wald.
   (4) Sie arbeiten in dem Wald.
   (5) Sie geht über den Weg.
   (6) Sie steht unter dem Baum.
   (7) Wir gehen zu dem Professor.
   (8) Er steht neben dem Schäfer.

2. *Change definite to indefinite articles. Example:* Er geht hinter das Haus.
   Er geht hinter ein Haus.

   (1) Ich gehe an das Haus.
   (2) Ich stehe neben dem Mädchen.
   (3) Ich fahre in das Dorf.
   (4) Ich wohne in dem Dorf.
   (5) Er geht hinter das Haus.
   (6) Wir kommen in das Zimmer.
   (7) Wir sind in dem Zimmer.
   (8) Ich fahre auf dem Rad.
   (9) Es ist neben dem Buch.

3. *Restate the following sentences, contracting the prepositions with the definite
   articles. Example:* Sind die Schafe in dem Wald? Sind die Schafe
   im Wald?

   (1) Ist er in dem Haus?
   (2) Sie ist bei dem Bruder.
   (3) Wir schreiben in das Tagebuch.
   (4) Sie stehen an dem Tisch.
   (5) Ist er in dem Zimmer?
   (6) Er geht zu dem Freund.
   (7) Ich gehe in das Haus.
   (8) Gehst du durch das Dorf?
   (9) Geht ihr in das Zimmer?
   (10) Sie ist in dem Wald.

4. *Answer the following questions negatively, placing* **nicht** *before the expression of place. Example:* Ist der Schäfer im Wald? Nein, der Schäfer ist nicht im Wald.

(1) Reist er durchs Land?
(2) Wohnt er im Dorf?
(3) Geht er zu dem Professor?
(4) Fahren die Mädchen in die Stadt?
(5) Kommt das Mädchen ins Zimmer?
(6) Steht der Schäfer am Weg?
(7) Steht der Professor vor uns?
(8) Steht er bei dem Tisch?

5. *Change the definite to indefinite articles. Example:* Sie steht an der Seite. Sie steht an einer Seite.

(1) Wir fahren in die Stadt.
(2) Wir wohnen in der Stadt.
(3) Ich gehe an die Tür.
(4) Ich stehe an der Tür.
(5) Er geht auf die Straße.
(6) Er steht auf der Straße.
(7) Sie geht vor die Klasse.
(8) Sie steht vor der Klasse.
(9) Sie geht über die Landstraße.
(10) Er steht neben der Landstraße.

6. *Form questions. For preposition and noun, substitute the appropriate* **da**-*compound. Example:* Der Mann steht hinter dem Baum. Steht der Mann dahinter?

(1) Der Mann steht neben dem Tisch.
(2) Ein Buch ist auf dem Tisch.
(3) Er ist für den Krieg.
(4) Sie ist gegen den Krieg.
(5) Er steht vor der Tür.
(6) Er arbeitet an der Grammatik.
(7) Sie fahren auf dem Radfahrweg.
(8) Sie fahren neben der Landstraße.

7. *Each sentence below contains a prepositional phrase. You are to ask for a repetition, as though you did not understand this phrase, by substituting (in your question) a* **wo-***compound for the prepositional phrase. Example:* Der Student erzählt von der Arbeit. Wovon erzählt der Student?

(1) Sie dankt ihm für das Buch.
(2) Sie fahren mit dem Rad.
(3) Der Professor erzählt von einem Buch.
(4) Sie fahren gegen einen Baum.
(5) Wir schreiben über die Reise.
(6) Sie helfen uns mit der Arbeit.
(7) Er arbeitet an einem Buch.
(8) Wir fahren auf der Landstraße.

8. *Change the nouns to the plural. Example:* Ich sehe den Schäfer. Ich sehe die Schäfer.

(1) Ich sehe den Baum.
(2) Ich kenne den Menschen gut.
(3) Wir gehen in den Wald.
(4) Ich sehe das Schaf.
(5) Er kennt die Stadt gut.
(6) Ich arbeite für das Mädchen.
(7) Wir kennen den Weg.
(8) Du kennst die Straße gut.
(9) Sie gehen nicht durch die Tür.
(10) Ich sehe den Tisch nicht.

9. *The following sentences describe motion to a place. Rephrase these sentences to express location in that place, inserting* **nun** *after the verb. Example:* Er geht in das Zimmer. Er ist nun in dem Zimmer.

(1) Er geht in das Haus.
(2) Er geht in das Zimmer.
(3) Er geht vor den Tisch.
(4) Er geht in die Klasse.
(5) Er geht an den Tisch.
(6) Er geht auf einen Heideweg.
(7) Er geht auf die Heide.
(8) Er geht hinter den Tisch.
(9) Er geht in die Stadt.
(10) Er geht an die Tür.

10. *Answer affirmatively in the first person singular, replacing nouns either by pronouns or by* **da**-*compounds as required. Examples:* Gehen Sie mit dem Studenten? Ja, ich gehe mit ihm. Helfen Sie ihm mit der Arbeit? Ja, ich helfe ihm damit.

(1) Stehen Sie neben dem Baum?
(2) Stehen Sie neben einem Freund?
(3) Fahren Sie mit einer Freundin?
(4) Fahren Sie mit dem Rad?
(5) Stehen Sie hinter der Frau?
(6) Stehen Sie hinter der Tür?
(7) Stehen Sie zwischen den Freunden?
(8) Stehen Sie zwischen den Bäumen?
(9) Gehen Sie auf dem Heideweg?
(10) Arbeiten Sie für einen Studenten?

CHAPTER 5

Vocabulary

der **Bach,** –e	brook	**trinken**	drink
der **Hunger**	hunger	**werden**	become, get
der **Kaffee**	coffee	**wünschen**	wish
der **Käse**	cheese		
der **Schatten,** —	shade, shadow	**groß**	large, big
		langsam	slow
das **Bier,** –e	beer	**warm**	warm
das **Brot,** –e	bread		
das **Dach,** –er	roof	**bald**	soon
das **Glas,** –er	glass	**weiter**	farther
das **Haus,** –er	house		
das **Käsebrot,** –e	cheese sandwich	**anstatt**	instead of
das **Stroh**	straw	**trotz**	in spite of
		während	during
die **Gastwirtschaft,** –en	inn,	**wegen**	on account of, because of
	restaurant	**um . . . willen**	for the sake of
die **Schönheit,** –en	beauty		
die **Wärme**	warmth, heat		

IDIOMS

bringen	bring	**Hunger haben**	be hungry
essen	eat	**ein Glas Bier**	a glass of beer
sitzen	sit	**aus Stroh**	of straw

Genitive Case · Imperative
Present of werden

I. READING

„Es ist sehr schön in der Heide, aber trotz der Schönheit fahren wir weiter, denn wir haben Hunger. ‚Komm‘, sagt Peter, ‚ich habe Hunger, und es wird auch schon sehr warm.‘ Wegen der Wärme fahren wir langsam, aber bald kommen wir an ein Haus im Wald. ‚O, wie schön‘, sage ich, denn das Dach des Hauses ist aus Stroh, und neben dem Haus ist ein Bach. An den Seiten des Baches stehen Bäume. Die Bäume sind sehr groß, und unter den Bäumen stehen Tische. ‚Das‘, sagt Peter, ‚ist eine Gastwirtschaft. Hier essen und trinken wir.‘

Wir sitzen nun an einem Tisch im Schatten eines Baumes, und bald kommt ein Mädchen aus dem Hause zu uns. Sie sagt sehr freundlich: ‚Guten Tag, was wünschen die Herren?‘ Wir sagen auch ‚Guten Tag‘, und Peter sagt: ‚Bringen Sie mir bitte ein Käsebrot und Kaffee!‘ Ich sage: ‚Bringen Sie mir auch ein Käsebrot, aber bringen Sie mir bitte anstatt des Kaffees ein Glas Bier!‘ Während des Sommers trinke ich oft Bier, denn das Bier ist in Deutschland sehr gut. Bald bringt das Mädchen die Käsebrote, das Bier und den Kaffee, und wir essen und trinken da am Bach im Schatten der Bäume.

(Fortsetzung folgt)

II. GRAMMAR

1. Genitive forms:

a.

	SINGULAR			PLURAL	
MASC.	NEUT.	FEM.		ALL GENDERS	
des	des	der	of the	der	of the
eines	eines	einer	of a	—	
keines	keines	keiner	of no, not a	keiner	of no, not any
—	—	—		—	
wessen	—	wessen	whose	—	

Note: The genitive of personal pronouns is very rarely used. The forms are given in the Appendix, p. 206, A.

33

b. Feminine nouns remain unchanged in the singular. *Neuters* and most *masculines* add **–s** or **–es.** (In general, monosyllabic nouns take **–es,** nouns of more than one syllable **–s**).

c. Proper names add **–s** (without an apostrophe): **Maries Buch.** Names ending in a sibilant add an apostrophe or (more rarely) **–ens: Hans' Buch** or **Hansens Buch.**

Note: For complete declensions of the articles, see Appendix, p. 201, A; for the personal pronouns, p. 206, A.

2. Uses of the genitive:

   a. To express possession:

   Das ist das Haus **des Professors.**   That is the professor's house.

   Note: The order **des Professors Haus** is rarely used in normal speech and writing.

   b. After certain prepositions; the following prepositions always take the genitive:

anstatt instead of	**um . . . willen** for the sake of (a personal
trotz in spite of	pronoun used with **um . . . willen** ends
während during	in **–t** rather than **–r: um ihretwillen**
wegen because of	for her sake)

3. Present tense of **werden** to become, get:

ich werde	wir werden
du wirst	ihr werdet
er wird	sie werden
	Sie werden

4. The *imperative* is used to express a command or request. It is formed by adding to the infinitive stem the following endings:

   FAMILIAR SING.   **–e**   Erzähle mir etwas von Deutschland, Marie!
   FAMILIAR PLUR.   **–(e)t** Erzählt mir etwas von Deutschland, Hans und Marie!
   CONVENTIONAL   **–en**   Erzählen **Sie** mir etwas von Deutschland, Herr Professor!

In everyday speech the **–e** is commonly dropped (usually without an apostrophe) from the familiar singular imperative: **Komm ins Haus, Marie!**

Note: Exceptions in the formation of the imperative singular are discussed in Chapter 8, sections 4 and 5.

III. EXERCISES

A. *Answer orally.*

1. Haben Sie Hunger? 2. Hat der Freund des Professors Hunger?
3. Wie fahren die Freunde wegen der Wärme? 4. Wird es an einem
Sommertag oft warm? 5. Wohin kommen die Freunde bald? 6. Woraus ist das Dach des Hauses? 7. Wo stehen Bäume? 8. Wo
sitzt der Professor mit dem Freund? 9. Wer kommt zu ihnen? 10. Was
sagt der Freund zu ihr? 11. Was wünscht der Professor anstatt des
Kaffees? 12. Trinken Sie während des Sommers oft Bier? 13. Was
bringt das Mädchen bald? 14. Wo essen und trinken die Freunde?

B. *Fill in endings where necessary.*

1. Trotz d— Wärme trink— wir Kaffee. 2. Während ein— Krieg—
mach— wir kein— Reisen. 3. Mit d— Hilfe ein— Freundin find—
ich d— Weg. 4. Wir sitz— im Schatten ein— Haus—. 5. Neben d—
Haus ist ein— Baum. 6. Wegen d— Krieg— reise ich nicht. 7. An
d— Seiten d— Straßen stehen viele Häus—.

C. *Supply an appropriate preposition.*

1. Ich trinke Kaffee — des Bieres. 2. — des Sommers reise ich viel.
3. Ein Student kommt — das Zimmer. 4. Er steht — der Tür. 5. —
der Wärme arbeitet er. 6. Das Mädchen sitzt — dem Tisch.

D. *Write in German.*

1. It's getting very warm here, and I'm hungry. 2. But in spite
of the heat we work at the grammar. 3. A girl says to the professor,
"Please tell us something about the heather country." 4. The professor tells them about the inn in the woods. 5. The roof of the house
is of straw. 6. It stands by (an) the side of a brook. 7. In the shade
of a tree stands a table. 8. The professor's friend wishes coffee instead
of (the) beer. 9. During the summer it often gets warm.

IV. PATTERN DRILLS

1. *In the following phrases replace the genitive of the definite article by the
genitive of the indefinite article. Example:* die Seite der Tür — die Seite
einer Tür.

(1) das Dach des Hauses   (7) die Antwort des Mädchens
(2) die Seite des Baches   (8) die Seite des Zimmers
(3) das Rad des Freundes   (9) die Seite der Straße
(4) der Schatten des Baumes   (10) der Freund der Studentin
(5) das Buch des Studenten   (11) die Freundin der Schwester
(6) das Leben des Menschen   (12) die Schönheit der Stadt

2. *In the following phrases change the noun in the genitive to the plural.*
   Example: die Türen des Zimmers — die Türen der Zimmer.

(1) die Seiten des Baches   (6) die Seiten des Zimmers
(2) die Räder des Freundes   (7) die Straßen der Stadt
(3) die Bücher des Studenten   (8) die Freundin der Schwester
(4) das Leben des Menschen   (9) die Freunde der Studentin
(5) die Antworten des Mädchens   (10) die Seiten der Straße

3. *Imitate the following statement, using the noun or pronoun suggested.*
   Example: Du wirst alt. die Frau? Die Frau wird alt.

Du wirst alt. (1) ich?   (6) ihr?
               (2) das Mädchen?   (7) die Herren?
               (3) wir?   (8) Fritz?
               (4) die Schwestern?   (9) wir?
               (5) der Professor?   (10) ich?

4. *Convert the following nouns into the genitive. Example:* das Mädchen —
   des Mädchens.

(1) der Tisch   (7) die Studentin   (13) die Mädchen
(2) der Wald   (8) das Leben   (14) die Zimmer
(3) der Mensch   (9) das Dorf   (15) die Schönheit
(4) der Student   (10) das Land   (16) die Dörfer
(5) die Frau   (11) die Städte   (17) der Freund
(6) die Stadt   (12) die Endungen   (18) die Tische

5. *Give the command,* "Come into the house!" *in German, using the form*
required for the person or persons being addressed. Example: Fräulein Schmidt!
Fräulein Schmidt, kommen Sie ins Haus!

(1) Herr Schmidt!   (4) Hans!   (7) Fritz!
(2) Frau Meyer!   (5) Marie!   (8) Fräulein Weiß!
(3) Herr Professor!   (6) Fritz und Marie!

6. *From the two sentences given, form one using the genitive of possession.*
Example: Das ist das Rad. Es gehört dem Freund. Das ist das
Rad des Freundes.

(1) Das ist der Tisch. Er gehört der Frau.
(2) Das ist das Glas. Es gehört dem Mädchen.
(3) Das ist das Buch. Es gehört dem Professor.
(4) Das ist das Tagebuch. Es gehört dem Freund.
(5) Das sind die Bücher. Sie gehören den Studentinnen.
(6) Das ist das Rad. Es gehört dem Studenten.
(7) Das ist das Zimmer. Es gehört den Mädchen.
(8) Das ist das Haus. Es gehört der Freundin.

7. *Answer affirmatively. Example:* Arbeitet die Frau jeden Tag? Ja,
die Frau arbeitet jeden Tag.

(1) Hat der Professor Hunger?
(2) Hat das Mädchen auch Hunger?
(3) Haben die Studenten jetzt auch Hunger?
(4) Ist das Dach des Hauses aus Stroh?
(5) Ist die Tür aus Glas?
(6) Trinkt das Mädchen ein Glas Bier?
(7) Machen die Studenten eine Reise nach Deutschland?
(8) Arbeitet ein Student jeden Tag?

8. *Make the following sentences negative by inserting* **nicht** *directly before
the expression of place. Example:* Das Mädchen ist im Zimmer.
Das Mädchen ist nicht im Zimmer.

(1) Das Mädchen geht ins Zimmer.
(2) Wir fahren in die Stadt.
(3) Wir fahren heute in die Heide.
(4) Er geht jetzt durch die Tür.
(5) Wir reisen nach Deutschland.
(6) Wir reisen im Sommer nach Deutschland.
(7) Wir essen neben dem Bach.
(8) Ich sitze im Schatten der Bäume.
(9) Die Frau geht jetzt ins Haus.
(10) Wir fahren jetzt auf der Landstraße.

CHAPTER 6

Vocabulary

der **Bauer, –n**   peasant, farmer
der **Bruder, ⸚**   brother
der **Flur, –e**   hall, vestibule
der **Gast, ⸚e**   guest
der **Mann, ⸚er**   man
der **Onkel, —**   uncle
der **Vater, ⸚**   father

das **Bauernhaus, ⸚er**   farmhouse
das **Feld, –er**   field
das **Kind, –er**   child
das **Strohdach, ⸚er**   thatched roof
das **Vieh**   farm animals, cattle

die **Familie, –n**   family
die **Mutter, ⸚**   mother

mein   my
dein   your
sein   his, its
ihr   her; their
unser   our

euer   your
Ihr   your

dieser   this
jener   that
mancher   many a, some
solcher   such (a)
welcher   which

leben   live

klein   small, little (*in size*)
schwer   difficult, hard; heavy

manchmal   sometimes
noch   yet, still
wieder   again

IDIOMS

auf dem Feld   in the field
auf das Feld   to the field
er wohnt seit einem Jahr dort   he
   has been living there for a year

38

Possessive and Demonstrative Adjectives

I. READING

„Mein Freund Peter und ich sitzen lange an unserem Tisch neben dem Bach. Wir essen unsere Käsebrote, er trinkt seinen Kaffee, und ich trinke langsam mein Bier und sehe auf den Bach und auf das Haus mit seinem Strohdach.

Das Mädchen kommt wieder aus dem Haus, und mein Freund sagt zu ihr: ‚Es ist gut, hier neben Ihrem Bach zu sitzen. Haben Sie Ihre Gastwirtschaft schon lange?' ‚O, ja', sagt sie, ‚unser Haus steht schon seit vielen, vielen Jahren und ist schon lange in unserer Familie.' ‚Ist Ihr Leben hier nicht ein wenig einsam?' ‚Ja, manchmal ist unser Leben einsam, aber manchmal kommen auch viele Gäste in unsere Gastwirtschaft.' ‚Das verstehe ich, denn Ihr Haus, Ihr Bach und Ihre Bäume sind wirklich sehr schön.'

Das Mädchen geht nun wieder ins Haus, und ich sage zu meinem Freund: ‚Erzähle mir ein wenig von deiner Familie! Kommt dein Vater nicht aus der Heide?' ‚Ja', antwortet mein Freund, ‚und ein Bruder meines Vaters wohnt noch hier in der Heide. Er ist ein Heidebauer und wohnt mit seiner Familie in einem Bauernhaus wie diesem hier neben uns. Auch er hat sein Haus schon sehr lange, und auch seines, wie dieses hier, ist sehr groß, denn darin wohnt nicht nur seine Familie; auch sein Vieh lebt unter dem Dach seines Hauses.' ‚Wirklich', sage ich, ‚ist das heute noch so?' ‚O, ja, hier in der Heide ist es oft noch so, aber zwischen den Menschen und ihrem Vieh ist ein Flur, und dieser Flur ist manchmal sehr groß. Das Leben meines Onkels ist schwer, denn er hat viel Arbeit. Auch seine Frau arbeitet sehr schwer. Sie arbeitet nicht nur in ihrem Haus für ihren Mann und für ihr Kind. Während des Sommers arbeitet sie auch auf dem Feld, und ihr Kind geht mit ihr aufs Feld. Das Leben solcher Frauen ist schwer, aber sie kennen nur dieses Leben.' "

II. GRAMMAR

1. The possessive adjectives, each corresponding to a personal pronoun are

ich — **mein**	my		wir — **unser**	our
du — **dein**	your		ihr — **euer**	your
er — **sein**	his			
sie — **ihr**	her		sie — **ihr**	their
es — **sein**	its			
Sie — **Ihr**	your		Sie — **Ihr**	your

2. The *endings* of the possessive adjectives are like those of **kein**, agreeing with the following noun in gender, case, and number. For example:

N.	**Ihr** Freund	ist hier.
A. Sie kennt	**ihren** Freund	gut.
D. Sie schenkt	**ihrem** Freund	ein Buch.
G. Die Schwester	**ihres** Freundes	ist hier.

N.	**Seine** Schwester ist hier.	
A. Er kennt	**seine** Schwester gut.	
D. Er schenkt	**seiner** Schwester ein Buch.	
G. Der Freund	**seiner** Schwester ist hier.	

Unser may be contracted when inflected: **mit unserem (unsrem, unserm) Vater. Euer** is always contracted: **in eurem Haus.**

Note: The possessive adjectives are extremely important and should be thoroughly mastered both as to meaning and form.

3. The demonstrative adjectives **dieser** *this*, **jener** *that* (used chiefly in written, rarely in spoken German), **jeder** *each*, **solcher** *such (a)*, **mancher** *many a, some*, and the interrogative adjective **welcher** *which* have almost exactly the same endings as the definite article.* For example:

N.	**Dieser** Mann,	**dieses** Kind,	**diese** Frau ist hier.
A. Ich kenne	**diesen** Mann,	**dieses** Kind,	**diese** Frau gut.
D. Ich schenke	**diesem** Mann,	**diesem** Kind,	**dieser** Frau ein Buch.
G. Die Schwester	**dieses** Mannes,	**dieses** Kindes,	**dieser** Frau ist hier.

Plural endings of demonstrative adjectives are exactly like those of the definite article.

The use of **solcher** varies somewhat from that of the other demonstrative adjectives. It is used as a true demonstrative in situations where one cannot use **der** or **ein**, e.g., **Wir kennen solche Menschen.** In

---

*For paradigms of demonstrative adjectives, see Appendix, p. 205, III.

other situations it is generally preceded by **ein** and inflected like a descriptive adjective (see Chapter 9). **Er hat ein solches Haus.**

4. The demonstrative adjectives may also be used as pronouns:

Alle Studenten sind hier; **jeder** hat ein Buch.	All the students are here; each one has a book.

5. **Dies** uninflected (like **das** uninflected) is often used at the beginning of a sentence to refer to nouns of all genders and numbers.

Dies (das) ist mein Vater.	This (that) is my father.
Dies (das) ist meine Mutter.	This (that) is my mother.
Dies (das) sind meine Freunde.	These (those) are my friends.

6. Possessive adjectives, as well as **ein** and **kein,** may be used as pronouns. When so used, they have the endings of **dieser.**

Mein Vater ist hier, aber **seiner** ist nicht hier.	My father is here, but his is not here.

III. EXERCISES

A. *Answer orally.*

1. Wo sitzen der Professor und sein Freund? 2. Was essen sie?
3. Was trinkt Peter? 4. Wie trinkt der Professor sein Bier? 5. Gehen Sie auch manchmal mit Ihrem Freund in eine Gastwirtschaft?
6. Kennen Sie solche Gastwirtschaften wie diese in der Heide? 7. Wie lange wohnt Ihre Familie schon in Ihrem Haus? 8. Ist Ihr Haus wie dieses in der Heide? 9. Ist Ihr Leben einsam? 10. Von wem erzählt Peter seinem Freund? 11. Was ist sein Onkel? 12. Wie ist das Leben eines Heidebauers? 13. Warum ist sein Haus so groß? 14. Wo ist der Flur? 15. Wo arbeitet die Frau des Bauers? 16. Für wen arbeitet sie? 17. Ist der Bruder Ihres Vaters Ihr Onkel?

B. *Fill in endings where necessary.*

1. Mein— Vater und mein— Mutter wohnen in ein— Stadt.
2. Ein— Bruder mein— Mutter wohn— in d— Heide. 3. Sein— Haus ist klein, aber unser— ist groß. 4. Er wohnt in dies— Haus mit sein— Frau und sein— Kinder—. 5. Er arbeit— für sein— Familie. 6. Sein— Frau bring— ihm sein— Käsebrot und sein— Kaffee auf d— Feld. 7. Oft komm— sie mit ihr— Kind. 8. Auch sie hat ihr— Arbeit. 9. Ihr— Arbeit ist schwer, und ihr— Leben ist schwer. 10. Unser— Leben ist nicht so schwer. 11. Wir arbeit—

nicht mit unser— Händ—. 12. Unser— Onkel kommt oft in unser—
Haus.   13. Auch die Frau unser— Onkel— kommt manchmal.
14. Sie hat ein— Kind, aber ihr— Schwester hat kein— Kinder.
15. Mein— Freund hat zwei Brüder—, aber nur ein— von ihn— ist
hier.

C. *Supply the possessive adjective corresponding to the subject.   Example:*
Ich wohne in **meinem** Haus.

1. Wir wohnen in — Haus.   2. Ich sehe — Freund.   3. Der Vater
und die Mutter helfen — Kind.   4. Die Studentin hat — Buch in
der Hand.   5. Der Bauer hat — Vieh unter — Dach.   6. Das Kind
hat — Brot.   7. Die Schwester geht mit — Bruder.   8. Die Familie
wohnt in — Haus.

D. *Change all nouns and pronouns in C above to the plural, making any other
changes necessitated thereby.*

E. *Replace the nouns in C by pronouns or by* **da**-*constructions.*

F. *Supply the correct form of* your.

1. Wo hast du — Buch, Fritz?   2. Wo ist — Mutter, Hans?   3. Ich
bringe Ihnen — Kaffee, Herr Schmidt.   4. Hier ist — Glas Bier, Herr
Braun.   5. Wo ist — Zimmer, Hans und Fritz?   6. Ist das — Freund,
Herr Schmidt?

G. *Write in German.*

1. The professor and his friend are sitting at their table under a
tree and eating their cheese sandwiches.   2. Beside them is a house;
its roof is of straw.   3. This is a farmer's house, and he and his family
have been living there for five years.   4. But their house is also an inn,
and during the summer they have many guests in their inn.   5. The
farmer works in his field, and his wife works for her guests.   6. Her
work is often very hard.   7. Her house and her inn are large.   8. And
she has her child; it is still small.   9. Sometimes she goes to the field
with her husband.   10. Then she says to her child, "Come with me,
here's your bread: we'll eat (*present tense*) in the field."   11. The life of
this woman is hard, but she often says, "Our life is good, for we have
our house, our inn and our fields, and we have our child,"   12. Now
our professor says to a (female) student, "Where is your house? Do
your sister and your brother live in this city? Is your life hard?"
13. The student answers, "The life of a farmer is hard, but mine is not
hard."   14. This is my book, and that is yours, Professor Huber.

IV. PATTERN DRILLS

1. *Replace the indefinite article by* **sein.** *Example:* Er hat ein Buch. Er hat sein Buch.

(1) Er kennt eine Familie.   (4) Er versteht eine Frau.
(2) Er bringt einen Gast.   (5) Er kennt einen Freund.
(3) Er schreibt ein Tagebuch.   (6) Er zeigt ein Feld.

Replace the indefinite article by **ihr.** *Example:* Sie bringt einen Gast. Sie bringt ihren Gast.

(1) Sie kennt ein Dorf.   (4) Sie bringt eine Schwester.
(2) Sie kennt eine Stadt.   (5) Sie bringt einen Bruder.
(3) Sie zeigt ein Haus.   (6) Sie bringt einen Freund.

2. *In the following sentences, replace* **mein** *by* **unser.** *Example:* Das ist der Vater meines Freundes. Das ist der Vater unseres Freundes.

(1) Das ist die Tür meines Zimmers.
(2) Das ist ein Gast meiner Schwester.
(3) Das ist das Haus meines Vaters.
(4) Das ist ein Freund meines Bruders.
(5) Das ist das Dach meines Hauses.
(6) Das ist das Zimmer meiner Mutter.
(7) Das sind die Freunde meiner Brüder.
(8) Das ist das Haus meiner Freunde.

3. *Answer the questions affirmatively in the first person plural.* *Example:* Kennen Sie Ihren Freund gut? Ja, wir kennen unseren Freund gut.

(1) Ist Ihre Arbeit schwer?
(2) Ist Ihr Gast schon hier?
(3) Erzählen Sie von Ihrer Arbeit?
(4) Kennen Sie Ihren Professor gut?
(5) Ist Ihr Haus groß?
(6) Wohnen Sie in Ihrem Haus?
(7) Sehen Sie Ihr Kind bald?
(8) Reisen Sie mit Ihren Freunden?

4. *Replace the definite article by the proper form of* **dieser.** *Example:* Die Frau ist meine Mutter. Diese Frau ist meine Mutter.

(1) Wir kennen den Mann.
(2) Sie versteht das Buch nicht.
(3) Wir kennen die Frau.

(4) Er erzählt etwas aus dem Buch.
(5) Sie versteht den Herrn.
(6) Fahren sie mit den Freunden?
(7) Der Mann ist mein Vater.
(8) Er hat die Bücher nicht.
(9) Wohnt sie in der Stadt?

5. *Answer* **Nein** *to the following questions, but affirm in the first person plural. Example:* Sehen Sie sein Feld? Nein, aber wir sehen unser Feld.

(1) Sehen Sie seine Schwester?
(2) Sehen Sie seinen Vater?
(3) Sehen Sie sein Kind?
(4) Sehen Sie seinen Onkel?
(5) Sehen Sie seine Familie?
(6) Sehen Sie sein Haus?
(7) Sehen Sie seine Mutter?
(8) Sehen Sie seine Freunde?
(9) Sehen Sie seine Felder?

6. *Answer affirmatively. Example:* Trinkt er ein Glas Bier? Ja, er trinkt ein Glas Bier.

(1) Trinkt die Frau ein Glas Bier?
(2) Geht der Bauer heute aufs Feld?
(3) Arbeitet er jeden Tag auf dem Feld?
(4) Ist das Dach seines Hauses aus Stroh?
(5) Wohnt er schon seit einem Jahr da?
(6) Wohnt sie schon seit zwei Jahren da?
(7) Arbeitet der Vater schon seit drei Tagen?

7. *Answer the questions affirmatively, using the possessive adjective corresponding to the subject. Example:* Hat er Bücher? Ja, er hat seine Bücher.

(1) Versteht er Kinder?
(2) Versteht sie Kinder?
(3) Verstehen wir Kinder?
(4) Gehen wir durch Türen?
(5) Essen die Männer Käsebrote?
(6) Sehen die Männer Frauen?
(7) Kennen wir Studentinnen?
(8) Reist sie mit Freunden?
(9) Arbeitet er auf Feldern?
(10) Wohnen wir in Häusern?

8. *Answer the questions affirmatively, using* **sein** *or* **ihr** *as required. Examples:*
   Ist das Haus des Professors groß? Ja, sein Haus ist groß. Ist das
   Haus der Schwester groß? Ja, ihr Haus ist groß.

   (1) Ist das Kind des Vaters klein?
   (2) Ist das Kind der Frau klein?
   (3) Ist die Arbeit des Kindes schwer?
   (4) Ist die Arbeit der Mutter schwer?
   (5) Ist der Weg des Schäfers einsam?
   (6) Ist der Weg der Schwester einsam?
   (7) Ist das Zimmer der Frau schön?
   (8) Ist das Zimmer des Bruders schön?
   (9) Ist die Mutter des Studenten hier?
   (10) Ist die Mutter der Studentin hier?

Vocabulary

der **Abend,** –e   evening
der **Gipfel,** —   summit
der **Hügel,** —   hill
der **Kegel,** —   cone
der **Kirchturm,** ⁼e   church steeple
der **Neckar**   *name of a river*
der **Sohn,** ⁼e   son
der **Turm,** ⁼e   steeple, tower
der **Weinberg,** –e   vineyard
der **Winter,** —   winter

(das) **Heilbronn**   *name of a city*
das **Städtchen,** —   town, small city
das **Tal,** ⁼er   valley
(das) **Weinsberg**   *name of a town*

die **Burg,** –en   castle
die **Form,** –en   form
die **Geschichte,** –n   story, history
die **Kirche,** –n   church
die **Mitte**   middle, center
die **Ruine,** –n   ruin

die **Weibertreu**   faithfulness of wives
   (*name of a castle ruin*)

liegen   lie

berühmt   famous
gelb   yellow
grau   gray
kühl   cool
natürlich   natural(ly), of course
rot   red
schattig   shady
weit   far

oberhalb   above (*with gen.*)

ach   oh

IDIOMS

heute abend   this evening
die **Familie Schröder**   the Schröder
   family
das **Städtchen Weinsberg**   the town
   of Weinsberg

I. READING

Unser Professor erzählt: „Mein Freund Peter hat natürlich viele Freunde in Deutschland. Unter ihnen ist auch die Familie Schröder in Heilbronn am Neckar. Im Winter wohnt die Familie in ihrem Haus in der Stadt, aber im Sommer wohnt die Mutter mit ihren zwei Söhnen in ihrem Sommerhaus in Weinsberg. Das ist ein Städtchen nicht weit von Heilbronn. Jeden Abend und am Sonntag kommt der Vater auch zu ihnen ins Sommerhaus. Weinsberg liegt in einem Tal, und um die Stadt sind Hügel. An vielen davon sind Weinberge. Auf einem dieser Hügel steht das Sommerhaus der Familie Schröder.

Wir fahren mit unseren Rädern durch die Straßen von Heilbronn, und bald sind wir auf der Landstraße. Wir fahren nicht in die Stadtmitte von Weinsberg. Wir fahren weiter auf einer Straße oberhalb des Städtchens, und diese Straße bringt uns zu dem Hause unserer Freunde. Bald kommen wir durch einen Wald. Hier im Walde ist es kühl und schattig, denn die Sonne kommt nicht zwischen die Bäume in den Wald.

Bald sehen wir vor uns das Städtchen Weinsberg in seinem Tal. Wir sehen die Häuser und die Kirchtürme. Die Häuser sind weiß oder gelb, und ihre Dächer sind rot oder grau. Nicht weit von der Stadtmitte sehe ich einen Hügel in Kegelform, und auf seinem Gipfel steht eine Burgruine. Dahinter sind Bäume, und an den Seiten des Hügels sind Weinberge. ,Wie schön!' sage ich zu Peter. ,Was ist diese Burg da auf dem Hügel?' ,O', antwortet Peter, ,das ist die „Weibertreu". Sie ist sehr berühmt und hat auch natürlich wie jede Burg in Deutschland ihre Geschichte.'

,Ach', sage ich, ,dann erzähle mir die Geschichte!'

,Nein, nicht jetzt. Meine Freunde erzählen sie dir heute abend. Jetzt fahren wir weiter. Das Häuschen da vor uns zwischen den Bäumen ist ihr Sommerhaus.' "

(*Fortsetzung folgt, Seite 105*)

II. GRAMMAR

1. The following table shows all the case forms of the definite article and of **kein** in the same order in which you have studied them.

	M.	N.	F.	Pl.	M.	N.	F.	Pl.
N.	der	das	die	die	kein	kein	keine	keine
A.	den	das	die	die	keinen	kein	keine	keine
D.	dem	dem	der	den	keinem	keinem	keiner	keinen
G.	des	des	der	der	keines	keines	keiner	keiner

2. The table below points up the many identical endings in the case forms.

	M.	N.	F.	Pl.	M.	N.	F.	Pl.
N.	der	das	die	die	kein	kein	keine	keine
A.	den	das	die	die	keinen	kein	keine	keine
D.	dem	der		den	keinem	keiner		keinen
G.	des	der		der	keines	keiner		keiner

3. For a listing of the genders and cases in the traditional order, as used, e.g., in Latin grammars, see Appendix, p. 201.

4. See Appendix, pp. 203–205, for a summary of the formation of noun plurals. This summary should be consulted frequently, as it can give you valuable help in learning noun plurals.

III. EXERCISES

A. *After consulting the section on noun plurals in the Appendix* (pp. 203–205), *arrange the nouns in Chapters 1 to 6 and in Review I according to their class, grouping them according to gender within each class. List separately those having an irregular plural and omit those having no plural.*

B. *Answer orally.*

1. Wer ist Peter? 2. Hat er viele Freunde in Amerika? 3. Wo liegt

Heilbronn? 4. Wo wohnt die Familie Schröder im Winter? 5. Wo wohnt sie im Sommer? 6. Wie viele Kinder sind in der Familie? 7. Wie viele Kinder haben Ihr Vater und Ihre Mutter? 8. Wie viele Brüder haben Sie? 9. Wie viele Schwestern haben Sie? 10. Wer wohnt mit der Mutter in Schröders Sommerhaus? 11. Wo liegt Weinsberg? 12. Wo sind die Hügel? 13. Wo steht das Sommerhaus der Familie Schröder? 14. Womit fahren der Professor und sein Freund? 15. Wohin kommen sie bald? 16. Fahren sie in die Stadt Weinsberg? 17. Wohin bringt sie diese Straße? 18. Wie ist es im Walde? 19. Wohin kommt die Sonne nicht? 20. Wo sind die Häuser und die Kirchtürme von Weinsberg? 21. Sind die Dächer der Häuser gelb? 22. Wo ist der Hügel in Kegelform? 23. Wo steht eine Burgruine? 24. Was sehen die Freunde dahinter? 25. Wo sind Weinberge? 26. Was hat jede Burg in Deutschland? 27. Erzählt Peter seinem Freund die Geschichte von der Weibertreu? 28. Wer erzählt sie ihm heute abend?

C. *Change each* **dieser-***word to the indefinite article. In the case of plurals, simply omit the* **dieser-***word.*

1. Dieser Mann ist in jenem Zimmer. 2. Dieses Buch liegt auf diesem Tisch. 3. Diese Burg steht auf diesem Hügel. 4. Dieses Mädchen kennt jedes Buch. 5. Jeder Bauer hat solche Felder. 6. Dieser Krieg ist nicht gut. 7. Wir sehen jenen Bach. 8. Wir sehen jedes Haus. 9. Ich sitze an diesem Tisch. 10. Ich gehe mit diesen Freunden. 11. Jeder Sommer ist warm. 12. Jedes Kind ist klein. 13. Diese Familie wohnt in diesem Sommerhaus. 14. Jener Kirchturm ist weiß. 15. Dieses Tal liegt vor den Freunden. 16. Diese Menschen sehen dieses Tal und jenen Hügel. 17. Diese Studenten arbeiten schwer. 18. Er arbeitet mit diesen Freunden. 19. Jenes Dorf ist klein. 20. Jedes Dorf ist klein.

D. *Change the nouns in C above to personal pronouns or, where required, to* **da-***combinations.*

E. *Supply the possessive adjectives corresponding to the subject.*

1. Fritz reist mit — Vater, — Bruder, — Schwester und — Mutter. 2. Diese Familie wohnt in — Sommerhaus in der Heide. 3. Vater und Mutter reisen oft mit — Kindern. 4. Von — Haus gehen wir in — Wald oder auf — Feld. 5. Wir haben — Haus schon lange. 6. Peters Schwester wünscht mit — Bruder zu gehen, aber er wünscht

nicht mit — Schwester zu reisen. 7. Jede Burg in Deutschland hat — Geschichte. 8. Die Mutter bringt — Sohn ein Käsebrot. 9. Er trinkt — Bier. 10. Die Freunde fahren auf — Rädern. 11. Sie sehen — Haus nicht von hier. 12. Der Student hat — Bücher hier.

F. *Supply an appropriate preposition for each blank.*

1. Die Freunde fahren — ihren Rädern. 2. Der Vater geht — jedem Sonntag — seiner Familie. 3. Ihr Haus ist nicht weit — der Stadt. 4. Der Vater geht — die Tür — das Haus. 5. Das Haus steht — zwei Bäumen. 6. Die Weinberge liegen — den Seiten der Hügel. 7. Peter sitzt — seinen Freunden — dem Tisch — den Bäumen. 8. Sie sehen die Burgruine — dem Gipfel des Hügels. 9. Sie sehen Bäume — der Ruine. 10. Auf dem Wege — Weinsberg fahren die Freunde — einen Wald. 11. Das Haus der Familie Schröder steht — ihnen. 12. Der Radfahrweg ist — der Landstraße.

G. *Form short sentences from the following groups of words, using possessive adjectives whenever feasible.*

1. Ich, trinken, Wein, aus, Glas. 2. Er, danken, Freund, für, Hilfe. 3. Er, sitzen, zwischen, Freunde. 4. Ich, stehen, an Seite, Straße. 5. Ich, wohnen, in, Haus. 6. Wir, helfen, Freund. 7. Kind, gehen, zu, Vater. 8. Wir, fahren, auf, Gipfel, Hügel. 9. Er, stehen, auf, Gipfel. 10. Wir, stehen, vor, Kirche. 11. Vater, reisen, mit, Sohn. 12. Mutter, reisen, mit, Kinder. 13. Mutter, reisen, ohne, Sohn. 14. Frau, sitzen, zwischen, Freundinnen.

H. *Form short sentences beginning with the following expressions:*

1. Bald 2. Jeden Tag 3. Jedes Jahr 4. Heute abend 5. Manchmal 6. Am Abend 7. Seit einem Jahr 8. Dort 9. Im Sommer 10. An einem Sonntag Morgen.

I. *Give with the appropriate definite article, the nominative singular and the nominative and dative plural.*

Herr, Antwort, Mädchen, Tag, Endung, Frau, Student, Schwester, Studentin, Freund, Buch, Freundin, Tisch, Stunde, Tür, Krieg, Dorf, Jahr, Tagebuch, Reise, Stadt, Baum, Mensch, Land, Straße, Wald, Seite, Weg, Zimmer, Schaf, Rad, Bach, Dach, Schatten, Haus, Gastwirtschaft, Glas, Bauer, Bruder, Feld, Gast, Familie, Vater, Mutter, Sohn, Mann, Kind, Hügel, Tal, Kirche, Turm, Burg, Geschichte.

J. *Review the reading selections in Chapters 4, 5, and 6 and of* REVIEW I *and write from memory or give orally at least 10 sentences about the places described.*

K. *Write in German.*

1. I have a friend, Peter Hansen; he lives in Germany. 2. He lives in a city, and through him I hear much about Germany. 3. Since the war he's been writing me very often. 4. I hear from him and also from his sister. 5. They always tell me something about the country or about the life there. 6. That is very good for me. 7. During the summer he often takes a trip on a bicycle. 8. In America we don't have bicycle paths at the sides of the highways. 9. We ride on the highway. 10. Peter's sister Marie is a student. 11. Very often she goes with him. 12. But often he goes without her. 13. On a Sunday morning they sometimes ride into the heather country or to (into) a forest. 14. The bicycle path is between the highway and the trees beside it. 15. It is very quiet here, and the heather is beautiful beneath the morning sun. 16. Except for a shepherd with a flock of sheep they don't see any people. 17. In the summer it sometimes gets very warm in the heather country. 18. Peter and his sister bring coffee and drink it on the way. 19. Peter brings a cheese sandwich too, for he is always hungry. 20. They sit in the shade of a tree or beside a brook and drink their coffee. 21. They don't often go to (into) an inn. 22. It's nice (**schön**) to ride through the heather or through the forest on a Sunday morning. 23. But I have no time for many trips. 24. I work five or six hours every day. 25. Today I'm working on (**an**) the grammar, but I don't understand it very well. 26. My friend Peter sometimes tells me a little about his family. 27. Their house is very small and does not have many rooms. 28. He lives there with his father, his mother, his two sisters and his brother. 29. Sometimes his mother's brother is there too. 30. Peter's father is not young, but he still works hard for his family.

IV. PATTERN DRILLS

(*Review I-A*)

1. *Answer the questions affirmatively, using the possessive adjective correspond-ing to the subject. Example:* Gehen wir in eine Gastwirtschaft? Ja, wir gehen in unsere Gastwirtschaft.

(1) Macht er eine Arbeit?
(2) Macht sie eine Arbeit?
(3) Machen wir eine Arbeit?
(4) Machen die Männer eine Arbeit?
(5) Arbeitet der Mann für eine Familie?
(6) Arbeitet die Frau für eine Familie?
(7) Arbeiten wir für eine Familie?
(8) Arbeiten die Brüder für eine Familie?

2. *Proceed as in Drill 1. Example:* Kommt sie von einer Arbeit? Ja, sie kommt von ihrer Arbeit.

(1) Schenkt er es einer Freundin?
(2) Schenkt sie es einer Freundin?
(3) Schenken wir es einer Freundin?
(4) Schenken die Schwestern es einer Freundin?
(5) Kommt der Mann von einer Stadt?
(6) Kommt die Frau von einer Stadt?
(7) Kommen wir von einer Stadt?
(8) Kommen die Gäste von einer Stadt?

3. *Answer the following questions in the first person singular, using the noun suggested. Example:* Woraus trinken Sie? mein Glas   Ich trinke aus meinem Glas.

(1) Mit wem reisen Sie? mein Vater
(2) Zu wem gehen Sie? mein Onkel
(3) Woraus lernen Sie? mein Buch
(4) Wovon erzählen Sie? meine Reise
(5) Bei wem wohnen Sie? meine Mutter
(6) Mit wem fahren Sie? meine Schwester
(7) Von wem kommen Sie? mein Professor
(8) Von wem erzählen Sie? meine Brüder
(9) Zu wem reisen Sie? meine Freunde
(10) Zu wem gehen Sie? meine Freundinnen

4. *Answer* **Nein** *to the following questions, but add a clause with the verb* **gehen,** *showing motion to the place mentioned. Example:* Ist er in der Stadt? Nein, aber er geht bald in die Stadt.

(1) Ist er in dem Tal?
(2) Ist er in der Kirche?
(3) Ist er an der Tür?
(4) Ist er auf dem Feld?
(5) Ist er in dem Turm?
(6) Ist er in dem Dorf?
(7) Ist er vor der Klasse?
(8) Ist er an der Arbeit?
(9) Ist er in der Gastwirtschaft?

5. *Answer affirmatively, replacing the indefinite article by the possessive adjective that corresponds to the subject. Example:* Hat er das Rad eines Freundes? Ja, er hat das Rad seines Freundes.

(1) Hat er das Buch eines Freundes?
(2) Hat sie das Buch eines Freundes?
(3) Haben wir das Buch eines Freundes?
(4) Haben die Kinder das Buch eines Freundes?
(5) Versteht er die Frage eines Kindes?
(6) Versteht sie die Frage eines Kindes?
(7) Verstehen wir die Frage eines Kindes?

6. *Answer the following questions according to the instructions given for Drill 5. Example:* Hat sie das Rad einer Freundin? Ja, sie hat das Rad ihrer Freundin.

(1) Steht er an der Seite einer Straße?
(2) Steht sie an der Seite einer Straße?
(3) Stehen wir an der Seite einer Straße?
(4) Stehen die Männer an der Seite einer Straße?
(5) Versteht er die Frage der Studentinnen?
(6) Versteht sie die Frage der Studentinnen?
(7) Verstehen wir die Frage der Studentinnen?
(8) Verstehen die Professoren die Frage der Studentinnen?

7. *In answering the following questions, replace the nouns in the prepositional phrases by pronouns or by* **da**-*compounds, as required.* *Examples:* Steht der Mann vor dem Turm? Ja, der Mann steht davor. Steht er vor der Frau? Ja, er steht vor ihr.

(1) Steht die Frau vor der Tür?
(2) Steht sie hinter dem Tisch?
(3) Reist sein Onkel mit diesem Mann?
(4) Reist seine Schwester mit dieser Frau?
(5) Reist sie oft mit ihren Brüdern?
(6) Liegt sein Buch auf dem Tisch?
(7) Erzählt sein Onkel uns von dem Krieg?
(8) Wohnt unser Sohn bei seinen Freunden?
(9) Fahren die Kinder mit dem Rad?
(10) Arbeitet er für seinen Freund?

8. *Change the following sentences to the plural.* *Example:* Meine Freundin ist hier. Meine Freundinnen sind hier.

(1) Der Abend ist schön.
(2) Der Turm ist berühmt.
(3) Die Burg ist auch berühmt.
(4) Dieses Tal ist immer kühl.
(5) Mein Bruder kommt heute nicht.
(6) Dieser Weg ist sehr einsam.
(7) Unser Sohn ist nicht dumm.
(8) Das Haus ist gelb.
(9) Deine Geschichte ist dumm.
(10) Mein Freund kommt heute abend.
(11) Seine Schwester kommt auch.
(12) Dieser Mann ist manchmal hier.

(Review I-B)

1. *Answer affirmatively, using the possessive adjective corresponding to the subject.* *Example:* Bringt sie einen Gast? Ja, sie bringt ihren Gast.

(1) Kennt er einen Professor?
(2) Kennen wir einen Professor?
(3) Kennt sie einen Professor?
(4) Kennen die Studenten einen Professor?
(5) Zeigt er uns einen Tisch?
(6) Zeigt sie uns einen Tisch?
(7) Zeigen wir ihm einen Tisch?
(8) Zeigen die Studenten uns einen Tisch?

2. *Proceed as in the preceding drill. Example:* Geht die Frau in ein Zimmer? Ja, die Frau geht in ihr Zimmer.

(1) Hat er ein Buch?
(2) Hat sie ein Buch?
(3) Haben wir ein Buch?
(4) Haben die Kinder ein Buch?
(5) Geht der Mann in ein Haus?
(6) Geht die Frau in ein Haus?
(7) Gehen wir in ein Haus?
(8) Gehen die Bauern in ein Haus?

3. *Replace the definite article by the correct form of* **solcher.** *Example:* Die Geschichten sind berühmt. Solche Geschichten sind berühmt.

(1) Die Arbeit ist schwer.
(2) Der Kaffee ist immer gut.
(3) Ich esse das Brot nicht.
(4) Ich verstehe die Menschen nicht.
(5) Das Leben ist gut.
(6) Wir lernen nicht viel aus den Büchern.

4. *Answer* **Nein** *to the following questions, but add a statement showing motion to the place mentioned. Example:* Ist er in einem Wald? Nein, aber er geht bald in einen Wald.

(1) Ist er in einem Haus?   (5) Ist er in einem Dorf?
(2) Ist er auf einer Straße?   (6) Ist er auf einer Burg?
(3) Ist er in einem Krieg?   (7) Ist er in einer Stadt?
(4) Ist er an einem Bach?   (8) Ist er in den Wäldern?

5. *Answer the questions affirmatively, using the possessive adjective that corresponds to the subject. Example:* Arbeiten wir auf einem Feld? Ja, wir arbeiten auf unserem Feld.

(1) Zeigt er es einem Freund?
(2) Zeigt sie es einem Freund?
(3) Zeigen wir es einem Freund?
(4) Zeigen die Männer es einem Freund?
(5) Kommt der Bauer aus einem Dorf?
(6) Kommt die Frau aus einem Dorf?
(7) Kommen wir aus einem Dorf?
(8) Kommen die Bauern aus einem Dorf?

6. *Answer the questions affirmatively, placing the expression of time at the beginning. Example:* Kommt er manchmal zu uns? Ja, manchmal kommt er zu uns.

(1) Geht er manchmal in die Stadt?
(2) Geht der Bauer heute aufs Feld?
(3) Arbeitet er manchmal auf dem Feld?
(4) Fahren die Freunde am Sonntag in die Heide?
(5) Reist der Student bald nach Deutschland?
(6) Wohnt er seit einem Jahr hier?
(7) Macht er jedes Jahr eine Reise?
(8) Kommen seine Freunde heute abend?

7. *Answer affirmatively, using* **ihr** *or* **sein** *as required. Examples:* Ist das Zimmer des Bruders groß? Ja, sein Zimmer ist groß. Ist das Zimmer der Schwester groß? Ja, ihr Zimmer ist groß.

(1) Ist die Antwort des Studenten richtig?
(2) Ist die Antwort der Studentin richtig?
(3) Ist das Haus des Professors groß?
(4) Ist das Haus dieser Frau groß?
(5) Ist die Frage des Studenten dumm?
(6) Ist die Frage der Studentin dumm?
(7) Ist die Freundin der Schwester klug?
(8) Ist der Tisch des Professors klein?
(9) Ist der Sohn dieser Frau klug?

8. *Restate the following sentences, beginning with* **dies** *and replacing the second noun by a possessive pronoun. Example:* Dieses Buch ist sein Buch. Dies ist seines.

(1) Dieses Haus ist mein Haus.
(2) Dieser Wald ist unser Wald.
(3) Dieses Buch ist dein Buch.
(4) Dieser Tisch ist ihr Tisch.
(5) Diese Gastwirtschaft ist unsere Gastwirtschaft.
(6) Dieses Kind ist ihr Kind.
(7) Dieser Kaffee ist mein Kaffee.
(8) Dieses Rad ist sein Rad.

9. *Answer affirmatively in first person singular.* *Example:* Arbeiten Sie jeden Tag acht Stunden? Ja, ich arbeite jeden Tag acht Stunden.

(1) Haben Sie manchmal Hunger?
(2) Kennen Sie das Städtchen Weinsberg?
(3) Arbeiten Sie heute abend?
(4) Wohnen Sie bei der Familie Schmidt?
(5) Kommen Sie jeden Tag in die Klasse?
(6) Machen Sie jedes Jahr eine Reise?
(7) Trinken Sie heute abend ein Glas Bier?
(8) Sind Sie seit einem Jahr hier?
(9) Sind Sie schon seit zwei Tagen in der Stadt?

CHAPTER 7

Vocabulary

(das) **Deutsch** German
das **Wort, -e** *or* **-er** word
    (**Worte** *is used for words in context,* **Wörter** *for isolated words.*)

die **Chemie'** chemistry
die **Mathematik'** mathematics
die **Soziologie'** sociology

alles everything
man one, people
nichts nothing, not anything

dürfen be allowed to, may (*permission*)
glauben believe
können can, be able to
mögen like; may (*possibility*)
müssen must, have to
sollen be supposed to, shall, to be to
tun do
wissen know (*facts*)
wollen want to, intend to, will

tausend thousand

wohl probably

IDIOMS

auswendig lernen memorize
ich möchte I would like
er möchte he would like
noch nicht not yet
ohne zu lernen without learning

58

Present of Modal Auxiliaries and wissen Numerals

I. READING

Heute haben die Studenten sehr viel zu tun, denn sie müssen viel lernen. Der Professor ist noch nicht da, aber die Studenten sind schon alle da. Ein Student sagt zu einer Studentin: „Betty, kannst du alles in unserer Grammatik auswendig lernen? Es ist so dumm, immer alles auswendig zu lernen. Wir können es nicht." Die Studentin: „Ich weiß, es mag dumm sein, aber wir müssen es wohl lernen, denn unser Professor will es. Ich mag es auch nicht, aber ich muß es." Der Student: „Ich mag es nicht, und ich will es nicht. Wir wollen es alle nicht." Die Studentin: „Das mag sein, aber wie können wir die Grammatik verstehen, ohne alles zu lernen?" Der Student: „Du bist dumm. Es ist nicht so, wie du sagst. Man kann wohl viel verstehen, ohne immer alles auswendig zu lernen, aber man darf nichts sagen, ohne es zu verstehen." Die Studentin: „Ja, wir sollen jeden Tag alles auswendig lernen. Man soll jedes Wort lernen. Auch mein Vater sagt, ich darf nichts sagen, ohne es zu verstehen, aber ich glaube, mein Vater möchte nicht jeden Tag hier sein. Er sagt, ich soll gut lernen, und auch der Professor sagt, wir sollen jeden Tag zwei Stunden für ihn arbeiten. Ich möchte es, denn ich mag Deutsch, aber ich kann es nicht, denn ich muß auch für Chemie, Mathematik und Soziologie arbeiten." Der Student: „Ja, so ist es, jeder weiß: man kann nicht immer tun, was man möchte. Das wissen wir alle."

II. GRAMMAR

1. The modal auxiliaries are:

dürfen	be allowed to, may (*permission*)
können	can, be able to
mögen	like, like to; may (*possibility*)
müssen	must, have to
sollen	be supposed to, shall, to be to
wollen	want to, intend to, will

2. Conjugation of present tenses. Note irregularities in singular.

ich	darf	kann	mag	muß	soll	will
du	darfst	kannst	magst	mußt	sollst	willst
er	darf	kann	mag	muß	soll	will
wir	dürfen	können	mögen	müssen	sollen	wollen
ihr	dürft	könnt	mögt	müßt	sollt	wollt
sie	dürfen	können	mögen	müssen	sollen	wollen

3. As with their English cognates, **zu** *to* is not used with an infinitive following a modal.

Ich kann gehen.   I can go.

The same rule applies to the verbs **helfen, hören, lassen, sehen.**

Ich höre ihn kommen.   I hear him come.
Ich lasse ihn gehen.   I let him go.

4. Often an infinitive, usually *do* or *go*, is understood after a modal without being expressed.

Ich kann es nicht.   I can't do it.
Ich muß heute in die Stadt.   I have to go to town today.

5. Note that while many of the modal forms do not exist in English (e.g., no infinitive or past participle of *can* or *must*), the modals are complete with all forms in German.

6. The chief difficulty in modals lies in their meanings. As in English, there is some overlapping in meaning among them, but it will be observed that they never deviate far from the basic meanings given above. Whenever a modal is encountered in reading, it should be carefully analyzed to determine its meaning as precisely as possible.

7. Like the modals, the verb **wissen** *know* is irregular in the present singular:

ich **weiß**	wir wissen
du **weißt**	ihr wißt
er **weiß**	sie wissen

German has two words for English *know*. **Kennen** is used with persons and generally with things; **wissen** is used with facts.

Ich kenne diesen Mann gut, aber   I know this man well, but I don't
   ich weiß nicht, wo er ist.   know where he is.

8. Numerals

elf	eleven	**einundzwanzig**	twenty-one
zwölf	twelve	**dreißig**	thirty
dreizehn	thirteen	**vierzig**	forty
vierzehn	fourteen	**fünfzig**	fifty
fünfzehn	fifteen	**sechzig**	sixty
sechzehn	sixteen	**siebzig**	seventy
siebzehn	seventeen	**achtzig**	eighty
achtzehn	eighteen	**neunzig**	ninety
neunzehn	nineteen	**hundert**	one hundred
zwanzig	twenty	**hundertzehn**	one hundred and ten
		tausend	one thousand

In writing numbers, German generally uses a comma where English uses a decimal point: 1,25 for English 1.25.

III. EXERCISES

A. *Give the English for each of the modal auxiliaries in* I.

B. *Answer orally.*

1. Wie lange sollen Sie jeden Tag arbeiten? 2. Wollen Sie so viel arbeiten? 3. Müssen Sie heute viel lernen? 4. Können Sie die Grammatik verstehen? 5. Mögen Sie Mathematik? 6. Mögen alle Studenten Mathematik? 7. Dürfen Sie etwas sagen, ohne es zu verstehen? 8. Sollen Sie alles in unserer Grammatik lernen? 9. Wollen Sie in diesem Jahr eine Reise machen? 10. Möchten Sie nach Deutschland reisen? 11. Kann man immer, was man möchte? 12. Wissen Sie schon viel über Deutschland? 13. Kennt der Professor Deutschland gut? 14. Zählen Sie von eins bis dreißig!

C. *Change the following sentences to the singular.*

1. Wir können das nicht verstehen. 2. Die Studenten mögen nicht arbeiten. 3. Die Kinder wollen nicht kommen. 4. Die Mädchen sollen heute in die Stadt gehen. 5. Kinder dürfen nicht immer tun, was sie wollen. 6. Wir müssen viel auswendig lernen. 7. Wir wissen noch nicht alles.

D. *Translate the sentences in* C *above into English.*

E. *Supply the German for the italicized expressions.*

1. Das Kind *is not allowed* aufs Feld gehen. 2. Er *has to* heute in

die Stadt fahren. 3. Ich *don't want to* arbeiten. 4. Die Studentin *would like* eine Reise machen. 5. *Can* du mir helfen? 6. Wir *are supposed to* jeden Tag acht Stunden arbeiten. 7. *Does* der Student *know*, wo sie ist? 8. Ich *know* dieses Mädchen nicht.

F. *Write in German.*

1. Our professor says one can't understand the grammar without memorizing it. 2. We're supposed to learn everything in the book. 3. But I believe we can understand German without doing that. 4. A student may do here what he wants to. 5. But sometimes we have to work very hard. 6. I like German, but I can't understand it very well. 7. Soon I want to go to Germany with a friend. 8. We would like to learn German there. 9. But we can't always do what we would like to. 10. I'd like to go into the woods today, but I have to be here. 11. German is supposed to be hard; that may be, but I can't believe it. 12. I know a little about the cities of Germany, but I don't know many villages.

IV. PATTERN DRILLS

1. *Give the numeral one higher than the one which appears below. Example:* dreiundfünfzig — vierundfünfzig.

(1) sechsundzwanzig
(2) siebzehn
(3) einundvierzig
(4) neunzehn
(5) dreizehn
(6) zwanzig
(7) fünfundvierzig
(8) achtzehn
(9) siebenundsiebzig
(10) dreißig
(11) zweiundsechzig
(12) neunundzwanzig
(13) neunundfünfzig
(14) vierundachtzig
(15) elf
(16) neunundneunzig

2. *Answer affirmatively in the first person plural. Example:* Dürfen Sie heute in die Stadt fahren? Ja, wir dürfen heute in die Stadt fahren.

(1) Müssen Sie heute viel lernen?
(2) Wollen Sie dem Freund helfen?
(3) Dürfen Sie das tun?
(4) Sollen Sie jeden Tag arbeiten?
(5) Mögen Sie solche Bücher?
(6) Können Sie alles lernen?
(7) Möchten Sie da wohnen?
(8) Müssen Sie zur Stadt gehen?
(9) Wissen Sie etwas über Deutschland?

3. *Answer affirmatively in the first person singular. Example:* Wollen Sie Deutsch lernen? Ja, ich will Deutsch lernen.

(1) Müssen Sie manchmal arbeiten?
(2) Mögen Sie solche Geschichten?
(3) Sollen Sie etwas lernen?
(4) Wollen Sie etwas darüber wissen?
(5) Müssen Sie der Mutter oft helfen?
(6) Können Sie alles verstehen?
(7) Möchten Sie ihn sehen?
(8) Wollen Sie heute abend arbeiten?
(9) Dürfen Sie das erzählen?
(10) Wissen Sie alles?

4. *Answer the questions negatively, using* **noch nicht**. *Example:* Kann er schon alles verstehen? Nein, er kann noch nicht alles verstehen.

(1) Darf das Kind schon gehen?
(2) Können die Studenten schon alles verstehen?
(3) Weiß der Student schon alles?
(4) Kann man jetzt schon essen?
(5) Möchte das Mädchen schon gehen?
(6) Darf sein Sohn schon alles machen?
(7) Soll man ihm schon helfen?
(8) Können wir schon richtig antworten?

5. *Answer the questions affirmatively in the first person singular. Examples:* Kennen Sie sein Dorf? Ja, ich kenne sein Dorf. Wissen Sie, wo es liegt? Ja, ich weiß, wo es liegt.

(1) Kennen Sie seinen Vater?
(2) Wissen Sie etwas über ihn?

(3) Kennen Sie Deutschland gut?
(4) Wissen Sie etwas darüber?
(5) Kennen Sie diese Burg?
(6) Wissen Sie, wo sie steht?
(7) Kennen Sie seinen Sohn?
(8) Wissen Sie, wo er wohnt?

6. *Answer negatively, changing from plural to singular, using* **keiner** *as the subject. Example:* Müssen alle schwer arbeiten? Nein, keiner muß schwer arbeiten.

(1) Können alle gut arbeiten?
(2) Mögen alle hier wohnen?
(3) Müssen alle das wissen?
(4) Dürfen alle das hören?
(5) Sollen alle schwer arbeiten?
(6) Wollen alle Deutsch lernen?
(7) Wissen alle das?

7. *Answer affirmatively in the first person singular. Example:* Können Sie viel auswendig lernen? Ja, ich kann viel auswendig lernen.

(1) Lernen Sie viel auswendig?
(2) Wollen Sie viel auswendig lernen?
(3) Möchten Sie alles gut verstehen?
(4) Möchten Sie bald eine Reise machen?
(5) Können Sie viel verstehen, ohne viel zu lernen?
(6) Verstehen Sie es, ohne zu arbeiten?
(7) Wohnen Sie bei der Familie Schröder?
(8) Helfen Sie ihm, ohne ihn zu kennen?

8. *Each sentence below is followed by a modal. Combine the two into a new sentence. Example:* Ich esse nichts. dürfen — Ich darf nichts essen.

(1) Wir sagen nichts. können
(2) Er fragt den Professor. müssen
(3) Das tut man nicht. dürfen
(4) Meine Freunde fahren nach Deutschland. wollen
(5) Heute lernen wir die Grammatik. sollen
(6) Ich esse nicht viel. mögen
(7) Ich glaube es nicht. können
(8) Wir lernen viel. müssen

9. *Give the numeral one higher than the one appearing below.* *Example:*
neunundzwanzig — dreißig.

(1) zehn	(6) neunundsechzig	(11) zwölf
(2) zweiundvierzig	(7) siebzehn	(12) sechzig
(3) fünfzig	(8) achtundachtzig	(13) hundert
(4) vierzehn	(9) einunddreißig	(14) hundertzehn
(5) einundzwanzig	(10) dreiundneunzig	(15) hundertsiebzehn

CHAPTER 8

Vocabulary

der **Bahnhof, ⁼e** railroad station
der **Gepäckträger, —** porter
der **Harz** *name of wooded mountains in central Germany*
der **Mittag, -e** noon
der **Portier, -s** (*pronounced* **Portjé**) desk clerk
der **Rotwein, -e** red wine
der **Speisesaal, -säle** dining room
der **Zug, ⁼e** train

das **Auto, -s** automobile, car
das **Bett, -en** bed
das **Fenster, —** window
das **Gepäck** baggage
das **Hotel, -s** hotel
das **Rührei, -er** scrambled eggs
das **Taxi, -s** taxi

die **Bratkartoffel, -n** fried potato
die **Karte, -n** card
die **Minute, -n** minute
die **Speise, -n** food (*archaic except in compounds*)
die **Speisekarte, -n** menu (*card*)
die **Uhr, -en** clock, watch

geben give
halten hold, stop
lassen let, leave (*a thing*)
laufen run
lesen read
nehmen take
schlafen sleep
sprechen talk, speak
tragen carry, wear
treten step

abends in the evening
diesmal this time
nachmittags in the afternoon
schnell fast, quick
spät late
vormittags in the forenoon
wann when

IDIOMS

es gibt there is, there are
ich gehe auf mein Zimmer I go to my room
die Stadt Goslar the city of Goslar

66

Vowel Changes in Present and Imperative
Telling Time

I. READING

Der Professor erzählt: „Wieder mache ich eine Reise, und wieder fährt mein Freund Peter mit mir. Diesmal aber fahren wir nicht auf unseren Rädern. Wir lassen sie im Hause meines Freundes und fahren mit dem Zug. Um 21.25 Uhr hält der Zug im Bahnhof der Stadt Goslar am Harz. Ein Gepäckträger tritt ans Fenster des Zuges, Peter gibt ihm unser Gepäck durchs Fenster, und der Gepäckträger nimmt es und trägt es durch den Bahnhof zur Straße. Es gibt wohl nicht viele Taxis in Goslar, aber Peter sieht ein Auto vor dem Bahnhof, läuft schnell zum Auto und spricht mit dem Mann darin. Dann kommt er wieder zu mir und sagt: ‚Hilf mir, unser Gepäck ins Auto zu bringen. Dieser Mann fährt uns zum Hotel.'

Im Hotel fragen wir den Portier: ‚Wann kann man hier essen? Gibt es jetzt noch etwas zu essen?' ‚Aber natürlich', antwortet er, ‚Sie können bis halb elf in unserem Speisesaal essen. Man ißt sehr gut bei uns.' ‚Gut', sage ich, ‚es ist jetzt zwanzig vor zehn, und wir wollen noch ein wenig essen.'

Im Speisesaal liest Peter die Speisekarte. Es gibt viel zu essen und zu trinken, aber wir nehmen nur Rührei mit Bratkartoffeln und ein Glas Rotwein. Um Viertel nach zehn gehen wir auf unser Zimmer und zu Bett, und in fünfzehn Minuten schläft Peter schon. Ich lese noch ein wenig, aber bald schlafe ich auch.

(Fortsetzung folgt)

II. GRAMMAR

1. A strong verb is one which forms its past by changing the stem vowel: **singen, sang.** (A weak verb is one which forms its past by adding −(e)te to the stem.)

67

2. Strong verbs with the stem vowels **a** and **e** undergo a regular change in the second and third person singular of the present:

a becomes **ä**

e becomes **ie** or **i**

ich lasse	halte	sehe	lese	nehme	trete
du läßt*	hältst	siehst	liest*	nimmst*	trittst*
er läßt	hält*	sieht	liest	nimmt*	tritt*
wir lassen	halten	sehen	lesen	nehmen	treten
ihr laßt	haltet	seht	lest	nehmt	tretet
sie lassen	halten	sehen	lesen	nehmen	treten

The change of **a** to **ä** includes **laufen, du läufst, er läuft.** By exception the vowels of **gehen, stehen,** and **heben** are not changed.

3. It will be observed from the above examples that verbs with stems ending in a sibilant contract the second person singular, thus making the second and third person forms identical, e.g., du läßt, er läßt. This is true of all verbs, both weak and strong.

4. Strong verbs changing the stem vowel from **e** to **ie** or **i** in the second and third person singular undergo the same change in the familiar imperative. They also drop the ending –**e**. The other forms of the imperative are regular.

> **Sprich** nicht so laut, Fritz, **nimm** das Buch und **lies** daraus!
> **Sprecht** nicht so laut, Kinder!
> **Nehmen Sie** das Buch, Herr Professor!

5. Imperative of **sein** and **werden:**

sei	werde
seid	werdet
seien Sie	werden Sie

6. Telling time:

Wieviel Uhr ist es?	What time is it?
Wie spät ist es?	What time is it?
Es ist sieben Uhr morgens.	It is seven o'clock in the morning.
Es ist zehn Uhr vormittags.	It is ten A.M.
Es ist fünf Minuten nach zehn.	It is five after ten.
Es ist (ein) Viertel nach zehn.	It is a quarter past ten.
Es ist halb elf.	It is half past ten.
Es ist (ein) Viertel vor zwölf.	It is a quarter to twelve.
Es ist Mittag.	It is noon.
Es ist halb vier nachmittags.	It is half past three in the afternoon.

*Note irregularities.

Es ist acht Uhr abends.	It is eight o'clock in the evening.
um neun Uhr	at nine o'clock.

Railroad and other official time is reckoned on a 24-hour basis from midnight to midnight.

3.20 (drei Uhr zwanzig)	3:20 A.M.
15.20 (fünfzehn Uhr zwanzig)	3:20 P.M.

7. With parts of the body and articles of clothing the possessive adjective is usually replaced by the definite article.

Er hat ein Buch in der Hand.	He has a book in his hand.

III. EXERCISES

A. *Give the infinitive of all verbs occurring in* I.

B. *Change the following sentences:* (a) *to third person singular;* (b) *to first person plural, making any necessary changes in possessive adjectives.*

1. Ich fahre oft durch Deutschland. 2. Ich trage immer mein Gepäck. 3. Ich halte es in der Hand und lasse es nicht aus der Hand. 4. Ich trete damit auf die Straße. 5. Ich laufe zum Bahnhof. 6. Um neun Uhr nehme ich den Zug. 7. Ich stehe am Fenster des Zuges und spreche mit meinem Freund. 8. Durch das Fenster sehe ich einen Wald. 9. Ich gebe meinem Freund ein Buch. 10. Ich lese auch in einem Buch. 11. Aber bald schlafe ich. 12. Oder ich esse mein Käsebrot.

C. *Conjugate in the present tense, changing the possessive adjective to correspond to the subject.*

1. seinem Freunde helfen. 2. seinen Freund treffen. 3. in seinem Bett schlafen. 4. in sein Zimmer treten. 5. in seinem Auto fahren.

D. *Supply the correct form of the verbs in parentheses.*

1. Der Student — sein Buch in der Hand (halten). 2. Er — es ins Zimmer (tragen). 3. Eine Studentin — ins Zimmer (treten). 4. Der Student — sie (sehen). 5. Er — mit ihr (sprechen). 6. Das Mädchen — in einem Buch (lesen). 7. Sie — ihn sprechen (lassen). 8. Ihr Buch — aus der Hand (fallen). 9. Der Student — es (nehmen) und — es ihr (geben). 10. Um acht Uhr abends — er (fahren) mit ihr im Auto in eine Gastwirtschaft und — dort mit ihr (essen).

E. *Rewrite D, 1 through 9, changing nouns, pronouns and verbs to the plural.*

F. *Form imperative sentences from the following groups of words.*

1. kommen, ins Haus, Kinder. 2. sprechen, nicht so viel, Marie.
3. schlafen, gut, Fritz. 4. helfen, mir, Herr Schwarz. 5. fahren, nicht
so schnell, Hans. 6. treten, ins Zimmer, Fräulein Weiß.

G. *Write in German.*

1. At ten minutes past eight the professor steps into the room. 2. He
is holding a card in his hand and says, "Here is a menu from a hotel
in Germany." 3. He gives it to a student and says, "Please read this
menu." 4. The student takes it and reads it, but he can't understand
much of it. 5. He says, "I can't speak German, but my friend speaks
it very well. 6. I('ll) give him this menu." 7. The professor lets him
read and then says, "What do you see on the menu?" 8. "There are
scrambled eggs, fried potatoes and there is also beer." 9. "Good,"
says the professor, "I see, you read very well." 10. "What would you
and your friend like to eat?" 11. "I often eat cheese sandwiches, but
my friend always eats scrambled eggs." 12. Now the professor sees
a girl behind the two students. 13. She is sitting there and sleeping.
14. The professor says to her, "One is not supposed to sleep here.
When do you go to bed?" 15. Now the girl sees the professor, too, and
says, "I always go to bed at half past twelve or a quarter to one."

IV. PATTERN DRILLS

1. *Change the following sentences from the third person plural to the third
person singular. Example:* Sie geben ihm nichts. Er gibt ihm nichts.

(1) Sie tragen das Gepäck.
(2) Sie stehen am Fenster.
(3) Sie sprechen mit ihm.
(4) Sie halten vorm Hotel.
(5) Sie schlafen nicht immer gut.
(6) Sie lesen nicht viel.
(7) Sie sehen nichts.
(8) Sie fahren im Auto.

2. *Change the following imperative sentences to the familiar singular. Example:*
Treten Sie ins Haus! Tritt ins Haus!

(1) Laufen Sie nicht so schnell!
(2) Nehmen Sie bitte mein Gepäck!
(3) Geben Sie mir bitte die Karte!
(4) Lassen Sie mich jetzt gehen!
(5) Sprechen Sie nicht so schnell!
(6) Schlafen Sie gut!
(7) Helfen Sie mir bitte!
(8) Essen Sie bitte nicht so langsam!
(9) Sehen Sie die Birken!
(10) Seien Sie nicht so dumm!

3. *Change the following sentences from the third person plural to the third
person singular. Example:* Sie sprechen zu schnell. Er spricht zu
schnell.

(1) Sie helfen mir nicht.
(2) Sie treten ins Haus.
(3) Sie laufen nicht sehr schnell.
(4) Sie essen im Hotel.
(5) Sie lassen die Kinder gehen.
(6) Sie nehmen die Bücher vom Tisch.
(7) Sie werden langsam alt.
(8) Sie geben ihm etwas zu essen.

4. *Answer the questions negatively in the first person singular but affirm in
the third person singular. Example:* Sehen Sie es? Nein, ich sehe es
nicht, aber er sieht es.

(1) Tragen Sie es?
(2) Helfen Sie ihr?
(3) Nehmen Sie es?
(4) Halten Sie es?
(5) Essen Sie viel?
(6) Lesen Sie viel?
(7) Geben Sie es ihm?
(8) Sehen Sie ihn?

5. *Below is a series of complete statements, each followed by an incomplete one. Finish the incomplete one by filling in the correct clock time. Example:* Es ist drei Uhr. In einer halben Stunde ist es.... In einer halben Stunde ist es halb vier.

(1) Es ist acht Uhr. In einer Viertelstunde ist es....
(2) Es ist acht Uhr. In einer halben Stunde ist es....
(3) Es ist acht Uhr. In Dreiviertelstunden ist es....
(4) Es ist neun Uhr. In einer Stunde ist es....
(5) Es ist neun Uhr. In fünf Minuten ist es....
(6) Es ist neun Uhr. In zwölf Minuten ist es....
(7) Es ist neun Uhr. In zwanzig Minuten ist es....
(8) Es ist zehn Uhr. In fünfundzwanzig Minuten ist es....
(9) Es ist zehn Uhr. In einer halben Stunde ist es....
(10) Es ist zwölf Uhr. In einer halben Stunde ist es....

6. *Change the following sentences to the third person singular, using* **die Frau** *as subject and changing the possessive adjective accordingly. Example:* Ich esse mein Brot. Die Frau ißt ihr Brot.

(1) Ich schlafe in meinem Bett.
(2) Ich fahre in meinem Auto.
(3) Ich trete durch meine Haustür.
(4) Ich spreche mit meinen Gästen.
(5) Ich laufe aus meinem Haus.
(6) Ich sehe mein Auto vor dem Bahnhof.
(7) Ich lasse meinen Sohn gehen.
(8) Ich gebe es meinem Freund.
(9) Ich helfe meiner Schwester.
(10) Ich werde langsam alt.

7. *Answer the questions affirmatively, beginning with the expression of time. Example:* Kommt unser Onkel manchmal zu uns? Ja, manchmal kommt unser Onkel zu uns.

(1) Geht das Kind um halb neun zu Bett?
(2) Sind wir bald am Bahnhof?
(3) Kommt der Zug um Viertel vor eins?
(4) Liest der Student heute abend viel?
(5) Geht er um halb elf auf sein Zimmer?
(6) Ist der Portier abends im Hotel?
(7) Kann der Student diesmal richtig antworten?
(8) Hilft er seinem Freund manchmal?
(9) Ist er seit einem Jahr hier?

8. *Answer in the negative, using* **kein.** *Example:* Gibt es ein Hotel in diesem Dorf? Nein, es gibt kein Hotel in diesem Dorf.

(1) Gibt es hier einen Bach?
(2) Gibt es hier ein Hotel?
(3) Gibt es einen Gepäckträger im Bahnhof?
(4) Gibt es eine Burg in der Stadt Goslar?
(5) Gibt es Autos in der Heide?
(6) Gibt es einen Tag ohne Arbeit?
(7) Gibt es Radfahrwege in unserem Land?
(8) Gibt es eine Kirche in diesem Dorf?

CHAPTER 9

Vocabulary

der **Berg,** –e mountain
der **Graben,** — moat, ditch
der **Hintergrund,** ⁻e background
der **Kaiser,** — emperor
der **Wagen,** — wagon

das **Bild,** –er picture
das **Gebäude,** — building
das **Kaiserhaus,** ⁻er imperial
    palace
das **Tor,** –e gate, gateway

die **Brücke,** –n bridge
die **Mauer,** –n wall
die **Vergangenheit** past

führen lead
ragen jut up, rise up

alt old
ander- other
dick thick
einige a few
eng narrow
grün green
hoch high
hübsch pretty
jung young
nächst- next
rund round
spitz pointed

woher from where

IDIOM
was für ein what kind of (a)

74

Adjectives

I. READING

„Am nächsten Morgen sitzen mein guter Freund Peter und ich an
unserem kleinen Tisch in dem hübschen Speisesaal des alten Hotels.
Er erzählt mir von Goslar und sagt: ‚Diese kleine Stadt ist sehr, sehr
alt, sie ist über tausend Jahre alt. Ich habe hier zwei oder drei Bilder
von Alt-Goslar. Siehst du, hier ist eins mit der dicken alten Stadtmauer!‘
Das alte Bild ist sehr schön. Die Stadt liegt da zwischen ihren dicken
grauen Mauern im grünen Tal. Man sieht die hohen Türme und die
grauen Hausdächer der Stadt mit den grünen Wäldern und Bergen
des Harzes im Hintergrund. Die spitzen Türme der vielen Kirchen
ragen hoch über die dicken Türme der Stadtmauer. Hier und da sieht
man auch ein altes Stadttor. An jeder Seite des Tores ist ein dicker,
runder Turm, und an jedes Tor führt eine alte Brücke über den Stadt-
graben. Viele von den hohen, spitzen Dächern der Häuser sind grau,
aber hier und da sieht man auch ein rotes Dach. Auch das berühmte
Kaiserhaus sehe ich. Groß und schwer steht es da, nicht weit von der
alten Stadtmauer. Es ist ein sehr berühmtes Gebäude, denn schon
seit dem Jahre 1005 spricht man von einem Kaiserhaus in Goslar.
Vor den Mauern der Stadt liegt ein hübsches grünes Feld neben
dem anderen. Auf jedem kleinen Feld sieht man Männer und Frauen
arbeiten. Von einem der Felder fährt ein großer Wagen auf eine enge
Straße.
‚Das‘, sagt Peter, ‚ist das alte Goslar der Vergangenheit. Jetzt will
ich dir ein wenig von dem Goslar von heute erzählen.‘

(Fortsetzung folgt)

II. GRAMMAR

1. *Predicate* adjectives are uninflected.

Der Vater und die Mutter sind **alt**.

75

2. *Attributive* adjectives (preceding a noun) are always inflected. There are two sets of declensional endings:

	STRONG*				WEAK			
	MASC.	NEUT.	FEM.	PL.	MASC.	NEUT.	FEM.	PL.
N.	–er	–es	–e	–e	–e	–e	–e	–en
A.	–en	–es	–e	–e	–en	–e	–e	–en
D.	–em	–em	–er	–en	–en	–en	–en	–en
G.	–en	–en	–er	–er	–en	–en	–en	–en

Note that with the exception of those boxed, all weak endings are –en. For adjective declensions in the traditional order, see Appendix, p. 207.

3. How to determine whether an adjective is weak or strong:

   a. When *no article* precedes the adjective, *always* use the strong endings:

       Wir trinken gutes Bier.   Das sind alte Männer.

   b. When the *definite article* or a **dieser**-*word* precedes the adjective, *always* use the weak endings:

       Dieser runde Turm an dem alten Tor ist sehr dick.

   c. When an **ein**-word precedes the adjective, follow this rule:

     (1) if the **ein**-word has an ending, use the weak ending on the adjective:

        Wir sehen einen dicken Turm mit einem spitzen Dach.

     (2) if the **ein**-word has no ending, use the strong ending on the adjective:

        Mein guter Freund trägt unser schweres Gepäck.

   d. If more than one adjective precedes the noun, they are all treated alike:

       Auf dem hohen** grünen Berg steht ein hübsches weißes Haus.

   e. After **alle** the adjective is weak.

   f. After **andere, einige, viele** it is usually strong.

   g. **Viel** itself is undeclined in the singular.

---

*Except in the masculine and neuter genitive these endings are identical with those of **dieser**.

Note irregularity: when **hoch is declined, the **c** is dropped.

4. Adjectives are often used as nouns referring to persons or things having the quality of the adjective. Thus an old man may be called **der Alte, ein Alter;** an old woman **die Alte, eine Alte;** old people **die Alten;** *the old* in the sense of that which is old, is **das Alte;** *something old* is **etwas Altes.** When so used the adjectives are capitalized and declined just as if the noun for which they stand were present.

5. There are in German a fairly large number of adjectival nouns, that is, nouns that were originally adjectives. Such nouns take

adjective endings: **der Deutsche, ein Deutscher, die Deutschen.**

6. Any adjective may be used as an adverb:

Er ist ein guter Student.   He is a good student.
Er arbeitet gut.   He works well.

7. In the interrogative expression **was für ein** *what kind of,* the case of the following noun is determined by its function in the sentence, not by the preposition **für.**

Was für ein Mann ist er?   What kind of a man is he?
In was für einem Haus wohnen   In what kind of a house do you
Sie?   live?

III. EXERCISES

A. *Answer orally.*

1. An was für einem Tisch sitzen die Freunde? 2. Wann sitzen sie da? 3. Was für einen Speisesaal hat das Hotel? 4. Was für ein Hotel ist es? 5. Was für eine Stadt ist Goslar? 6. Wie alt ist sie? 7. Was für eine Stadtmauer sieht man auf dem Bild von Alt-Goslar? 8. Was für ein Tal sieht man darauf? 9. Was für Türme sieht man? 10. Was für Dächer haben die Häuser? 11. Was für ein Dach hat Ihr Haus? 12. Was für Wälder und Berge sind im Hintergrund des Bildes? 13. Was für Türme haben die Kirchen? 14. Was für Türme hat die Stadtmauer? 15. Was für ein Stadttor sieht man hier und da? 16. Was für ein Turm ist an jeder Seite des Tores? 17. Was für eine Brücke führt an jedes Tor? 18. Was für ein Gebäude ist das Kaiserhaus? 19. Seit wann hört man von einem Kaiserhaus in Goslar? 20. Was für Felder liegen vor der Stadt? 21. Was für einen Wagen sieht man? 22. Wo arbeiten die Männer und Frauen? 23. Woher kommt der große Wagen? 24. Auf was für einer Straße fährt er?

B. *Fill in endings where necessary.*

1. An ein— schön— Morgen sitzen wir an unser— klein— Tisch im freundlich— Speisesaal unser— klein— Hotels. 2. Unser— klein— Tisch ist rund—. 3. Der klein— Tisch steht an ein— hoh— Fenster. 4. Ich trinke schwarz— Kaffee und esse ein— gut— Rührei. 5. Nicht weit von unser— klein— Tisch steht ein— groß—, lang— Tisch. 6. An dies— lang— Tisch sitzt ein— deutsch— Familie. 7. In dies— deutsch— Familie sind ein— Vater und ein— Mutter mit ihr— zwei klein— Kinder—. 8. Die jung— Mutter spricht sehr freundlich mit ihr— jung— Sohn und ihr— klein— Tochter. 9. D— Tochter ißt ihr— dick— Käsebrot und trinkt ihr— groß— Glas Milch. 10. Ihr— Bruder ißt auch sein gut— Käsebrot, ohne viel zu sagen.

C. *From the following list of adjectives, select an appropriate one for each of the blanks below.*

klein, hübsch, alt, dick, schön, grau, grün, hoch, spitz, rund, rot, schwer, berühmt, groß, eng, langsam, einsam, warm.

1. Es ist ein — Tag im Sommer. 2. Wir kommen nach Goslar, einer —, — Stadt. 3. Wir müssen unser — Gepäck ins Hotel tragen. 4. Aus dem — Fenster unsers — Zimmers sehen wir auf eine — Straße. 5. Wir können auch die — und — Dächer der — Häuser sehen. 6. Wir sehen auch den —, — Turm einer — Kirche. 7. Das —, — Kaiserhaus kann man von hier nicht sehen. 8. Auch die — Berge und — Wälder sieht man nicht. 9. In der — Straße fährt ein — Wagen. 10. Der — Wagen muß durch das — Tor in der Stadtmauer fahren.

D. *Make short sentences with each of the following groups of words, using the adjectives attributively.*

1. ich, unser, Haus, klein, sehen. 2. mein, jung, Schwester, kommen. 3. Bauer, sein, auf, grün, Feld, gehen. 4. Gepäckträger, unser, schwer, Gepäck, tragen. 5. Student, in, warm, Sommer, reisen. 6. Frau, in, ihr, Zimmer, hübsch, gehen. 7. Kirche, unser, Turm, hoch, haben. 8. Sie, mit, Ihr, gut, Freund, gehen. 9. Mutter, ihr, alt, Freundin, helfen. 10. Onkel, mein, in, ein, ander, Stadt, wohnen. 11. ihr, klein, Kind, laufen. 12. ich, mein, deutsch, Buch, lesen.

E. *Change the sentences from* D *above to the plural.*

F. *Write in German.*

1. In what kind of a house do you live? 2. I live with my father and my young brother in a very large gray house. 3. Is this large house

very pretty? 4. Yes, it's a pretty house in a small village. 5. Our big
gray house stands on (in) a narrow street. 6. What kind of a roof does
it have? 7. It has a green roof. 8. Is the house high? 9. No, it's not a
very high house. 10. Have you a large church in your little village?
11. No, we have a small white church in our little village. 12. What
kind of a steeple does this little church have? 13. Our little church
has a high, pointed steeple. 14. It's an old church with very beautiful
windows. 15. In front of the little white church are many big old
trees. 16. A green tree is very pretty against a white house or a white
church.

IV. PATTERN DRILLS

1. *From each of the two sentences below, form a new sentence by making the
adjective modify the noun. Example:* Hier ist das Haus. Es ist alt.
Hier ist das alte Haus.

(1) Hier ist der Bahnhof. Er ist modern.
(2) Hier ist die Brücke. Sie ist schön.
(3) Hier ist das Mädchen. Es ist jung.
(4) Hier ist der Berg. Er ist hoch.
(5) Hier ist die Kirche. Sie ist weiß.
(6) Hier ist das Bild. Es ist alt.
(7) Hier ist die Straße. Sie ist eng.
(8) Hier ist der Hügel. Er ist grün.

2. *Proceed as before. Example:* Ich sehe die Brücke. Sie ist eng. Ich
sehe die enge Brücke.

(1) Er sieht die Straße. Sie ist lang.
(2) Er gibt die Antwort. Sie ist richtig.
(3) Ich sehe die Frau. Sie ist jung.
(4) Er erzählt die Geschichte. Sie ist einfach.
(5) Er sieht das Land. Es ist schön.
(6) Ich sehe das Dach. Es ist grau.
(7) Er ißt das Brot. Es ist gut.
(8) Ich mag das Zimmer nicht. Es ist einfach.

3. *Proceed as in Drills* 1 *and* 2. *Example:* Sie kennt einen Mann. Er
ist jung. Sie kennt einen jungen Mann.

(1) Wir sehen den Wald. Er ist schattig.
(2) Er kennt den Studenten. Er ist freundlich.
(3) Sie sehen den Turm. Er ist hoch.

(4) Ich sehe den Tisch. Er ist alt.
(5) Wir sehen einen Wald. Er ist schattig.
(6) Er kennt einen Studenten. Er ist freundlich.
(7) Sie sehen einen Turm. Er ist hoch.
(8) Ich sehe einen Tisch. Er ist alt.

4. *Answer the questions affirmatively in the first person singular, inserting the adjectives suggested. Example:* Haben Sie ein Haus? modern — Ja, ich habe ein modernes Haus.

(1) Haben Sie ein Buch?   gut
(2) Haben Sie ein Glas?   rot
(3) Sehen Sie ein Bild?   schön
(4) Sehen Sie ein Gebäude?   modern
(5) Haben Sie ein Auto?   groß
(6) Kennen Sie ein Hotel?   klein
(7) Haben Sie ein Zimmer?   kühl
(8) Kennen Sie ein Mädchen?   jung

5. *Change the following sentences by substituting a pronoun for the subject and making the adjective modify the predicate noun. Example:* Dieser Mann ist alt. Er ist ein alter Mann.

(1) Dieser Professor ist alt.
(2) Dieser Bauer ist jung.
(3) Dieser Gast ist freundlich.
(4) Dieser Vater ist klug.
(5) Dieser Mensch ist einsam.
(6) Dieser Student ist dumm.
(7) Dieser Sohn ist gut.
(8) Dieser Kaiser ist berühmt.

6. *Proceed as in the preceding drill. Example:* Dieses Mädchen ist jung. Es ist ein junges Mädchen.

(1) Dieses Auto ist rot.
(2) Dieses Tal ist schattig.
(3) Dieses Haus ist kühl.
(4) Dieses Gebäude ist alt.
(5) Dieses Mädchen ist hübsch.
(6) Dieses Wort ist schwer.
(7) Dieses Bild ist modern.
(8) Dieses Haus ist gelb.

7. *Answer the questions affirmatively, using the adjective suggested. Example:* Steht er vor dem Haus? weiß — Ja, er steht vor dem weißen Haus.

(1) Spricht er von der Arbeit?   schwer
(2) Spricht er von einer Arbeit?   schwer

(3) Steht er auf dem Berg?   hoch
(4) Ist er in dem Haus?   klein
(5) Ist er in einem Haus?   klein
(6) Ist er in dem Zimmer?   hübsch
(7) Gibt er es einem Freund?   jung
(8) Steht er an einer Mauer?   dick

8. *Repeat the following sentences, using the appropriate form of the adjective suggested. Example:* Das ist Wein. gut — Das ist guter Wein.

(1) Das sind Männer.   alt
(2) Er ißt Bratkartoffeln.   warm
(3) Das ist Bier.   gut
(4) Ich habe Bücher.   dick
(5) Das ist Literatur.   gut
(6) Wir essen Brot.   weiß
(7) Das ist Kaffee.   schwarz
(8) Sie trinkt Kaffee.   schwarz

9. *Restate the following sentences, inserting the adjective* **jung** *before each noun. Example:* Männer sind hier. Junge Männer sind hier.

(1) Kinder sind hier.   (6) Die Frauen sind hier.
(2) Frauen sind hier.   (7) Ich sehe die Kinder.
(3) Ich sehe Kinder.   (8) Ich sehe die Frauen.
(4) Ich sehe Frauen.   (9) Wir sprechen von Kindern.
(5) Die Kinder sind hier.   (10) Wir sprechen von den Kindern.

10. *Answer the questions, using the adjective suggested. Example:* Was für ein Kind sieht er? hübsch — Er sieht ein hübsches Kind.

(1) Was für ein Haus ist das?   alt
(2) Was für ein Mann ist das?   klug
(3) Was für eine Frau ist das?   hübsch
(4) Was für ein Haus sieht er?   alt
(5) Was für einen Mann sieht er?   jung
(6) Was für eine Frau sieht er?   schön
(7) In was für einem Haus wohnt er?   modern
(8) Mit was für einer Frau spricht er?   jung

CHAPTER 10

Vocabulary

der **Adler,** — eagle
der **Brunnen,** — well, fountain
der **Fuß,** ⸚e foot
der **Kopf,** ⸚e head
der **Markt,** ⸚e market
der **Platz,** ⸚e place, square
der **Rest,** –e remnant
der **Stein,** –e stone

das **Ding,** –e thing
das **Rathaus,** ⸚er city hall
das **Wasser,** — water

die **Arkade,** –n arcade
die **Blume,** –n flower
die **Bronze** bronze
die **Figur',** –en figure
die **Front,** –en façade, front
die **Krone,** –n crown
die **Musik'** music
die **Schale,** –n basin

beschreiben describe
bleiben stay, remain
wandern wander

direkt direct
einfach simple
ganz whole, entire, quite
golden golden
gotisch Gothic
grotesk grotesque
historisch historic(al)
interessant interesting
klar clear
modern' modern
stolz proud

da since (*causal*)
daß that (*conj.*)
ob whether
obgleich although
obwohl although
sobald as soon as
sondern but
während while
weil because
wenn when, if
wie how, as, like
wo where

IDIOM

zu Fuß on foot

Subordinate Clauses

I. READING

„Da unser Hotel direkt am Marktplatz steht, können wir schon aus unserem Fenster viel Interessantes sehen. In der Mitte des Platzes steht der berühmte alte Marktbrunnen. Er ist sehr schön, obgleich er ganz einfach ist. Aus einer kleinen Bronzeschale läuft klares Wasser in eine große Schale, und über diesen Schalen steht ein kleiner Adler mit einer goldenen Krone auf dem Kopf. Obwohl er nur klein ist, sieht man, daß er sehr stolz ist. An einer Seite des Marktplatzes steht das schöne alte Rathaus aus grauem Stein, und vor seinen hohen gotischen Fenstern sind hübsche rote und weiße Blumen. Darunter sind Arkaden, wo man Kaffee trinken und schöne Musik hören kann.

Sobald wir aus der Tür unseres Hotels treten, sehen wir, daß es ein sehr altes Gebäude ist. Wenn man direkt davor steht, kann man die historischen und auch grotesken Figuren an seiner Front gut sehen. Aber wir bleiben nicht auf dem Marktplatz, denn wir wollen auch noch andere interessante Dinge in der Stadt sehen. Wir gehen weiter, und während wir langsam neben der Stadtmauer wandern, sehen wir die Reste des alten Stadtgrabens und auch einige alte Mauertürme. Wir sehen aber nicht nur das alte, sondern auch das moderne Goslar, wo die Menschen auch heute leben und arbeiten, wie sie es schon seit über tausend Jahren tun. Weil die Straßen so eng sind und so viele Menschen darin zu Fuß gehen, können die vielen Autos nur langsam durch die Straßen fahren. So finden wir hier in Goslar, wie in so vielen deutschen Städten, das Alte direkt neben dem Neuen."

II. GRAMMAR

1. In clauses introduced by a subordinating conjunction, the verb is moved from its normal position as the second element to the end of the clause. This is called *dependent order*.

NORMAL: Er **ist** mit seinem Freund in Goslar.
DEPENDENT: Ich weiß, daß er mit seinem Freund in Goslar **ist**.

The most common subordinating conjunctions:

als when (*used in past time only*)	**obgleich** although
bevor before	**obwohl** although
bis until	**seitdem** since (*temporal*)
da as, since (*causal*)	**sobald** as soon as
daß that	**während** while
ehe before	**weil** because
nachdem after	**wenn** when (*used in present and*
ob whether, if	*future time*); if

In addition, any interrogative (**wer, was, welch-, wie, wann, warum, wo,** and derivatives) can introduce an indirect question, which is a special type of subordinate clause.

2. The short list of co-ordinating conjunctions, i.e., those which do not affect word order, should be memorized: **aber, denn, oder, sondern, und. Sondern** is used for *but* only after a negative when *but* implies *instead*, and in the expression *not only, but also*.

Ich gehe heute nicht in die Stadt, **sondern** ich bleibe hier.

3. Subordinate clauses are always set off by commas.

4. If the subordinate clause stands at the beginning of the sentence, the main clause has inverted order; in other words, the verb is still the second element in the sentence as a whole.

Weil Goslar so schön sein soll, **möchte** ich es auch sehen.

III. EXERCISES

A. *Answer orally.*

1. Wieso können die Freunde schon aus ihrem Hotelfenster viel Interessantes sehen? 2. Wo steht der berühmte alte Marktbrunnen? 3. Beschreiben Sie den Brunnen! 4. Beschreiben Sie den Adler auf dem Brunnen! 5. Was für ein Rathaus hat Goslar? 6. Ist es aus weißem Stein? 7. Was für Fenster hat es? 8. Was für Blumen sieht man vor den Fenstern? 9. Wo kann man Kaffee trinken? 10. Was sehen die Freunde, sobald sie aus dem Hotel treten? 11. Was sieht man, wenn man direkt davor steht? 12. Warum bleiben die Freunde nicht auf dem Marktplatz? 13. Wann sehen sie die Reste des alten Stadtgrabens? 14. Was sehen sie auch neben dem Alten? 15. Was tun die Menschen auch heute in Goslar? 16. Warum kann ein Auto nur langsam durch die Straßen fahren?

B. *Connect the following sentences, using the words in parentheses and changing the word order when necessary.*

1. Ich verstehe die deutsche Grammatik noch nicht. Ich arbeite jeden Tag lange daran. (obwohl) 2. Ich will im Sommer nach Deutschland fahren. Ich muß Deutsch lernen. (weil) 3. Ich will auch viele berühmte Städte sehen. Ich bin in Deutschland. (während) 4. Ich weiß noch nicht. Komme ich nach Goslar? (wann) 5. Ich weiß. Es ist eine interessante Stadt. (daß) 6. Ich will aber auch nach Berlin fahren. Ich möchte auch eine moderne Stadt sehen. (denn) 7. Man soll nicht nur das Alte, sondern auch das Neue sehen. Man macht eine Reise nach Deutschland. (wenn) 8. Ich weiß nicht. Arbeiten Peters Freunde im Sommer? (wo)

C. *Restate the above sentences (excepting 6), placing the subordinate clause first.*

D. *Complete the following sentences.*

1. In den alten Städten Deutschlands müssen die Autos langsam fahren, weil . . . . . 2. Während wir durch die Straßen Goslars wandern, ... 3. Unter den Arkaden des Rathauses stehen Tische, wo . . . . . 4. Wir lernen hier nicht nur deutsche Grammatik, sondern . . . . . 5. Ich kann noch nicht gut Deutsch sprechen, aber . . . . . 6. Ich will auch die Lüneburger Heide sehen, wenn . . . . . 7. In Goslar findet man auch moderne Häuser, obwohl . . . . . 8. Ich möchte ein Käsebrot essen, denn . . . . .

E. *Write in German.*

1. Since I am taking a trip to Germany this summer, I have to learn German. 2. While we are learning the grammar, we can also hear something about Germany. 3. Since there are not many taxis in this little town, we have to go on foot to our hotel. 4. Is there a good hotel here where we can find a room? 5. Although our friend does not speak much German, he understands it very well. 6. We are not only going to (**in**) the heather country, but also to the old city of Goslar. 7. He is going to Goslar because he wants to see the famous old town hall. 8. If I go to Berlin I want to see the famous wall. 9. My German friends do not know that I have a new car for my next trip. 10. I don't know yet whether we can go.

IV. PATTERN DRILLS

1. *Answer the questions affirmatively. Example:* Sieht er viel, während er in Goslar ist? Ja, er sieht viel, während er in Goslar ist.

(1) Fährt er nach Goslar, wenn er es kann?
(2) Sieht er den Marktbrunnen, während er da ist?
(3) Bleibt er da, obwohl er keine gute Musik hört?
(4) Sagt er es dem Freund, sobald er ein Hotel findet?
(5) Wandert er durch die Stadt, während er da ist?
(6) Geht er zu Fuß, weil er kein Auto hat?
(7) Hört er gute Musik, wenn er am Marktplatz sitzt?
(8) Trinkt er Wasser, obgleich es gutes Bier gibt?

2. *Restate the following sentences, introducing each with* **Ich weiß, daß**... *and changing the word order as required. Example:* Er kommt heute zu uns. Ich weiß, daß er heute zu uns kommt.

(1) Sie macht jedes Jahr eine Reise.
(2) Das Kind hat immer Hunger.
(3) Es gibt hier viel zu tun.
(4) Sein Bruder kommt um acht Uhr.
(5) Seine Schwester kommt um halb acht.
(6) Er will heute abend arbeiten.
(7) Er kann heute abend nicht kommen.
(8) Er wohnt seit einem Jahr da.
(9) Wir sollen immer Deutsch sprechen.
(10) Es gibt noch viel zu lernen.

3. *Restate the following sentences, replacing* **denn** *with* **weil**, *and changing the word order accordingly. Example:* Er spricht nicht mit dem Mann, denn er kennt ihn nicht. Er spricht nicht mit dem Mann, weil er ihn nicht kennt.

(1) Er kann nicht kommen, denn er muß arbeiten.
(2) Ich bleibe hier, denn ich will schlafen.
(3) Sie kommt zu mir, denn sie kennt mich gut.
(4) Das Kind darf nicht gehen, denn es ist zu klein.
(5) Sie trinkt keinen Kaffee, denn sie mag ihn nicht.
(6) Ich mag dieses Hotel nicht, denn es ist zu groß.
(7) Er will nicht bleiben, denn er mag dieses Hotel nicht.
(8) Wir mögen diese Geschichte nicht, denn wir verstehen sie nicht.

4. *Restate the following sentences, placing the subordinate clause first and changing the word order as required. Example:* Ich gehe heute nicht, obwohl ich es möchte. Obwohl ich es möchte, gehe ich heute nicht.

(1) Er arbeitet immer, während er hier ist.
(2) Ich spreche mit ihr, ehe sie geht.
(3) Ich frage ihn, sobald er kommt.
(4) Wir sehen ihn oft, seitdem er hier ist.
(5) Sie geht mit ihm, wenn er kommt.
(6) Wir sehen ihn oft, da er unser Freund ist.
(7) Ich kenne ihn nicht, obgleich er schon lange hier ist.
(8) Ich kann gut Deutsch, weil ich alles auswendig lerne.

5. *Change the following sentences to the plural. Example:* Unsere Stadt ist schön. Unsere Städte sind schön.

(1) Dieser Adler ist stolz.
(2) Dieser Brunnen ist schön.
(3) Der Kopf ist rund.
(4) Sein Fuß ist groß.
(5) Dieser Platz ist interessant.
(6) Dieser Stein liegt da.
(7) Das Ding ist klein.
(8) Ihre Blume ist rot.
(9) Diese Figur ist grotesk.
(10) Sein Auto ist klein.
(11) Unser Rathaus ist berühmt.

6. *Answer the questions by beginning with* **Ich weiß nicht** *and placing the verb at the end. Example:* Wo wohnt er im Sommer? Ich weiß nicht, wo er im Sommer wohnt.

(1) Wie kommt man nach Goslar?
(2) Wann geht er zu seiner Tochter?
(3) Wohin fährt der Wagen jetzt?
(4) Was für eine Blume ist das?
(5) Warum geht er zu Fuß?
(6) Wie findet man das Rathaus?
(7) Was für ein Auto hat er jetzt?
(8) Wo findet man ein gutes Hotel?
(9) Warum hören wir keine gute Musik?

CHAPTER 11

Vocabulary

der **Kreuzweg, –e** crossroads
der **Pakt, –e** pact
der **Teufel, —** devil
der **Universitätsprofessor, –en** university professor

das **Blut** blood
das **Ende, –n** end
(das) **Griechenland** Greece

die **Angst, ⸚e** fear, anxiety
die **Gruppe, –n** group
die **Macht, ⸚e** power
die **Magie'** magic
die **Medizin', –en** medicine
die **Mitternacht, ⸚e** midnight
die **Nacht, ⸚e** night
die **Philosophie', –en** philosophy
die **Seele, –n** soul
die **Theologie'** theology
die **Universität, –en** university
die **Welt, –en** world

dienen serve
finden find
schreien scream, cry
studieren study
treffen meet
unterschreiben sign
verlassen leave (*a place or person*)

dunkel dark
eigen own
endlich finally, at last
tot dead

deshalb therefore, for that reason

IDIOMS

Angst haben be afraid
keine Angst haben not be afraid
zu Ende at an end
um Hilfe schreien cry for help
vor vielen Jahren many years ago
über Magie (*acc.*) about magic

88

Principal Parts of Verbs
Past Tense

I. READING

Als der Professor heute ins Zimmer kam, sagte er: „Heute will ich Ihnen eine berühmte alte Geschichte erzählen. Vor vielen, vielen Jahren lebte in Deutschland ein berühmter Universitätsprofessor, Dr. Johannes Faustus. Er wollte alles verstehen und große Macht haben; deshalb studierte er Philosophie, Medizin und auch Theologie. Aber da er durch all dies nicht fand, was er wünschte, studierte er endlich Magie. Er ging in der Nacht in einen dunklen Wald, und an einem Kreuzweg traf er den Teufel Mephistopheles. Er machte mit ihm einen Pakt: Mephistopheles sollte ihm vierundzwanzig Jahre dienen, und dafür sollte er am Ende dieser Zeit Fausts Seele haben. Diesen Pakt unterschrieb Faust mit seinem eigenen Blut. Während der vierundzwanzig Jahre machten Faust und Mephistopheles große Reisen und sahen die Welt. Mephistopheles gab Faust alles, was er wünschte, auch die schöne Helena aus Griechenland.

Endlich waren die vierundzwanzig Jahre zu Ende. Faust hatte große Angst und ging mit einer Gruppe Studenten in eine Gastwirtschaft. Während sie aßen und tranken, erzählte Faust ihnen von seinem Pakt mit dem Teufel. Um Mitternacht verließ Faust das Zimmer. Die Studenten hörten ihn um Hilfe schreien, aber bald war alles still. Am nächsten Morgen fanden sie Faust tot."

II. GRAMMAR

1. German verbs are classified as *weak* or *strong* according to the way in which they form their past tense and past participle.

The principal parts of a verb, that is, those forms from which all other forms are derived, are the *infinitive*, *first person singular past*, and the *past participle*.

2. Formation of tenses:

   a. Weak verbs

      (1) The past is formed by adding to the infinitive stem –(e)te plus the personal endings –, –st, –, –n, –t, –n.

	sagen		arbeiten
ich sagte	wir sagten	ich arbeitete	wir arbeiteten
du sagtest	ihr sagtet	du arbeitetest	ihr arbeitetet
er sagte	sie sagten	er arbeitete	sie arbeiteten

Note: The past of **haben** is irregular: **hatte.**

      (2) The past participle is formed by prefixing **ge-** to the infinitive stem and adding –(e)t.

        sagen, gesagt   **arbeiten, gearbeitet**

   b. Strong verbs

      (1) The past is formed by a change in the stem vowel. The personal endings are: –, –st, –, –en, –t, –en.

	bleiben		sprechen
ich blieb	wir blieben	ich sprach	wir sprachen
du bliebst	ihr bliebt	du sprachst	ihr spracht
er blieb	sie blieben	er sprach	sie sprachen

      (2) The past participle takes the prefix **ge-**, the ending –**en**, and usually makes a change in the stem vowel.

        bleiben, geblieben   **sprechen, gesprochen**

      (3) Verbs not accented on the first syllable do not take **ge-** in the past participle:

        studieren, studierte, studiert
        unterschreiben, unterschrieb, unterschrieben
        verlassen, verließ, verlassen
        verstehen, verstand, verstanden

3. Principal parts of verbs that have occurred so far (note that the vowel changes follow a certain fairly regular pattern):

        bleiben, blieb, geblieben
        schreiben, schrieb, geschrieben
        schreien, schrie, geschrieen
        unterschreiben, unterschrieb, unterschrieben

        essen, aß, gegessen*
        geben, gab, gegeben
        lesen, las, gelesen
        liegen, lag, gelegen
        sehen, sah, gesehen

*Note irregularity in addition to the vowel change.

sitzen, saß*, gesessen*
treten, trat, getreten

helfen, half, geholfen
kommen, kam*, gekommen
nehmen, nahm, genommen*
sprechen, sprach, gesprochen
treffen, traf*, getroffen

finden, fand, gefunden
trinken, trank, getrunken

halten, hielt, gehalten
lassen, ließ, gelassen
laufen, lief, gelaufen
schlafen, schlief, geschlafen
verlassen, verließ, verlassen

fahren, fuhr, gefahren
tragen, trug, getragen

gehen, ging, gegangen
sein, war, gewesen
stehen, stand, gestanden
tun*, tat, getan*
verstehen, verstand, verstanden
werden, wurde*, geworden

A list of the most common strong verbs is given in the Appendix,
pp. 217–222.

4. Uses of the past tense:

a. For narration in the past.

b. Where English uses *was* with the present participle:

He was working.   Er arbeitete.

5. The uses of the past participle will be discussed in Chapter 12.

III. EXERCISES

A. *Read* I *aloud, changing all verbs to present tense.*

B. *Answer orally.*

1. Was will der Professor heute erzählen? 2. Wann und wo lebte

*Note irregularities in addition to the vowel change.

Doktor Faustus? 3. Was war er? 4. Warum studierte er Philosophie, Medizin und Theologie? 5. Fand er, was er wünschte? 6. Wohin ging er in der Nacht? 7. Wen traf er da? 8. Wie lange sollte Mephistopheles Faust dienen? 9. Was sollte er dafür haben? 10. Wann sollte er Fausts Seele nehmen? 11. Womit unterschrieb Faust den Pakt? 12. Was sah er mit Mephistopheles' Hilfe? 13. Was gab Mephistopheles ihm? 14. Wo lebte die schöne Helena? 15. Wohin ging die Gruppe Studenten mit Faust? 16. Wovon erzählte Faust den Studenten? 17. Wann verließ Faust das Zimmer? 18. Wie fanden die Studenten Faust am nächsten Morgen?

C. *Give in the third person singular present and past.*

1. sagen 2. essen 3. schreiben 4. finden 5. lesen 6. lassen 7. tragen 8. gehen 9. sein 10. antworten 11. werden 12. kommen 13. liegen 14. schlafen 15. laufen 16. sitzen 17. helfen 18. treten 19. halten 20. wünschen 21. treffen 22. geben 23. fahren 24. tun 25. verstehen 26. sprechen

D. *Write the following sentences in the singular, so that they tell about only one American and one German; then change the sentences you have written into the past tense.*

1. Zwei amerikanische Studenten gehen in eine Gastwirtschaft. 2. Sie essen dort und sehen auch ihre Freunde da. 3. Sie lesen die Speisekarte und nehmen dann ein Käsebrot. 4. Sie treffen zwei junge Deutsche. 5. Sie zeigen ihnen auch die Speisekarte und helfen ihnen, sie zu lesen. 6. Sie sprechen lange mit ihnen. 7. Sie sitzen am Tisch und trinken ein Glas Bier. 8. Die Deutschen verstehen nicht alles. 9. Um halb zwölf treten sie auf die Straße. 10. Die Studenten fahren in ihrem Auto. 11. Bald liegen sie im Bett und schlafen. 12. Heute tun sie nichts mehr.

E. *Write in German.*

1. Although Faust was very intelligent, he did not understand everything. 2. He studied magic because he wished to have great power. 3. Often he didn't eat and didn't sleep. 4. He only sat at his table and studied. 5. At (**zu**) this time there were many books about magic. 6. Finally Faust found a very old book. 7. He carried it to his room, where he read in it many hours. 8. At midnight he left his room and went to (into) a dark forest. 9. There he met the devil. 10. He talked with him a long time. 11. Finally Faust signed a pact with his own blood. 12. With the devil he took many trips and saw the world. 13. They came to Greece and saw the beautiful Helena. 14. The devil

served Faust twenty-four years, but at the end of the twenty-four years
he took Faust's soul. 15. Faust's friends did not help him.

IV. PATTERN DRILLS

1. *Change the following sentences to past time.* Example: Mein Bruder
antwortet ihm nicht. Mein Bruder antwortete ihm nicht.

(1) Unser Sohn arbeitet langsam.
(2) Wir wandern durch den Wald.
(3) Hast du Angst?
(4) Er führt mich dahin.
(5) Sie haben eine junge Tochter.
(6) Wir hören schöne Musik.
(7) Er antwortet mir nicht.
(8) Er dient ihm schon lange.
(9) Ich folge ihm nie.
(10) Deshalb studiert sie Deutsch.

2. *Change the sentences to the past.* Example: Sie sitzt am Fenster. Sie
saß am Fenster.

(1) Ich esse mein Käsebrot.
(2) Es gibt nichts zu essen.
(3) Sie liest dieses Buch.
(4) Das Kind liegt auf dem Bett.
(5) Du siehst dein Bild.
(6) Er sitzt hinter mir.
(7) Er tritt ins Haus.
(8) Sie hilft ihrem Freund.
(9) Sie kommt aus ihrem Zimmer.
(10) Sie nimmt den Stein.
(11) Wir sprechen mit ihm.
(12) Ich treffe ihn dort.

3. *Give the past participles of the following verbs.* Example: treffen — getroffen.

(1) essen	(6) sitzen	(11) sprechen
(2) geben	(7) treten	(12) treffen
(3) lesen	(8) helfen	(13) werden
(4) liegen	(9) kommen	
(5) sehen	(10) nehmen	

4. *Change the following sentences to past tense. Example:* Er schreibt mir nie. Er schrieb mir nie.

(1) Ich bleibe nicht lange.
(2) Er schreit um Hilfe.
(3) Er schreibt gut Deutsch.
(4) Faust unterschreibt den Pakt.
(5) Er hält ein Buch in der Hand.
(6) Sie lassen uns laufen.
(7) Das Mädchen verläßt das Haus.
(8) Sein Sohn läuft zum Marktplatz.
(9) Mein Bruder schläft im Bett.
(10) Er fährt im Auto.
(11) Der Kaiser trägt eine goldene Krone.

5. *Answer the questions affirmatively. Example:* War er vor einem Jahr schon da? Ja, er war vor einem Jahr schon da.

(1) Hatte das Kind Angst?
(2) Schrieen die Kinder um Hilfe?
(3) War die Geschichte bald zu Ende?
(4) Sprach der Professor heute über deutsche Literatur?
(5) Kam er schon vor einer Stunde?
(6) Schrie Faust um Hilfe?
(7) Hatten die Studenten große Angst?
(8) Sprachen sie über das Leben und die Welt?
(9) War die Musik schon zu Ende?
(10) War er vor einem Jahr in Deutschland?

6. *Give the past participle of the following verbs. Example:* schlafen — geschlafen

(1) bleiben	(6) halten	(11) tragen
(2) schreiben	(7) lassen	(12) gehen
(3) schreien	(8) laufen	(13) sein
(4) finden	(9) schlafen	(14) stehen
(5) trinken	(10) fahren	(15) tun

7. *Change the sentences to the past. Example:* Er ist heute nicht hier. Er war heute nicht hier.

(1) Er findet den Stein.
(2) Wir trinken klares Wasser.
(3) Wir gehen zu Fuß.
(4) Sie steht an der Mauer.

(5) Heute tut er nichts.
(6) Versteht er Deutsch?
(7) Heute wird es warm.
(8) Sind viele Menschen im Rathaus?

8. *From the statements given, form questions, using the appropriate interrogative. Examples:* Er war im Haus. Wo war er? Er ging ins Haus. Wohin ging er? Er kam vom Haus. Woher kam er?

(1) Er ging zur Universität.
(2) Er war in der Universität.
(3) Er kam von der Universität.
(4) Es lag auf dem Tisch.
(5) Er kam aus dem Wald.
(6) Die Familie ging zum Marktplatz.
(7) Er stand vor der Tür.
(8) Er lief in den Bahnhof.
(9) Er kam aus dem Bahnhof.

9. *Answer the questions affirmatively, beginning with the expression of time. Example:* Kam sie vor einem Jahr zu uns? Ja, vor einem Jahr kam sie zu uns.

(1) Verließ er bald sein Zimmer?
(2) Traf er den Mann um halb zehn?
(3) Geht er jetzt in den Wald?
(4) War die Geschichte bald zu Ende?
(5) Unterschrieb er den Pakt um Mitternacht?
(6) War er vor einem Jahr in Griechenland?
(7) Hatte er dann große Macht?
(8) Stand er in der Nacht am Kreuzweg?
(9) Hatte das Mädchen um Mitternacht Angst?

CHAPTER 12

Vocabulary

der **Dichter, —** poet, creative writer
der **Hof, ⸚e** court, courtyard

das **Drama, Dramen** drama, play
das **Glück** luck, happiness

die **Oper, –n** opera

enden end
erklären explain, declare
lieben love

derselbe the same
glücklich happy, lucky

erst not until, only
genug enough
nie never
wahrscheinlich probably

IDIOM
um es zu verstehen in order to understand it

Present Perfect, Pluperfect and Future Tenses

I. READING

Ein Student fragt den Professor: „Herr Professor, warum haben Sie uns diese alte Geschichte von Dr. Faustus erzählt? Wahrscheinlich hat ein Mann wie Faustus nie gelebt, und einen Teufel hat es wohl auch nie gegeben." Der Professor antwortet: „Wissen Sie denn nicht, daß auch moderne Dichter über Faust geschrieben haben? Haben Sie schon von dem deutschen Dichter Johann Wolfgang Goethe gehört?" „O, ja", sagt der Student, „ich weiß, daß Goethe eine Oper ‚Faust' geschrieben hat." „Ja, ja", sagt der Professor, „Studenten haben mir schon oft gesagt, daß Goethe eine Oper geschrieben hat, aber das ist nicht richtig; er hat ein Drama ‚Faust' geschrieben. Er hat die alte Geschichte genommen und daraus ein modernes Drama gemacht." „Hat er seinem Drama dasselbe Ende gegeben wie in der alten Geschichte?" „Nein, das hat er nicht getan. Auch Goethes Faust hatte viele Jahre als Universitätsprofessor gelebt und gearbeitet und hat auch endlich einen Pakt mit dem Teufel gemacht. Aber er hat zum Teufel gesagt: ‚Du sollst meine Seele haben, aber nur, wenn du mich in diesem Leben so glücklich machst, daß ich sagen kann: die Zeit soll still stehen, und ich will nichts mehr tun.' Der Teufel hat viel für Faust getan, aber er hat ihn nicht wirklich glücklich gemacht. Am Ende des Dramas hatte Faust viel vom Leben gesehen. Er hatte ein Mädchen geliebt, er war an den Hof des Kaisers gekommen, er war nach Griechenland gegangen und hatte die schöne Helena gesehen, aber ganz glücklich war er nie geworden. Nur in einer nie endenden Arbeit für andere Menschen hat er Glück gefunden. Dieses Glück hatte der Teufel ihm nicht gegeben, also konnte der Teufel seine Seele nicht nehmen. Goethes Drama ist nicht einfach. Sie müssen es oft lesen, um es zu verstehen."

Nachdem der Professor den Studenten dies erzählt hatte, fragte ein Student: „Werden wir nächstes Jahr Goethes ‚Faust' lesen?" Der Professor antwortete: „Nein, dazu werden Sie noch nicht genug Deutsch können. Es wird noch zu schwer für Sie sein. Erst nach drei oder vier Jahren werden Sie den ‚Faust' lesen können. Und auch dann wird Ihr Professor Ihnen noch viel erklären müssen."

II. GRAMMAR

1. The present perfect tense is formed with the present of the auxiliary **haben** (except as in 3 below) plus the past participle.

ich habe gesehen	I have seen
du hast gesehen	you have seen
etc.	etc.

2. The pluperfect tense is formed with the past of **haben** (except as in 3 below) plus the past participle.

ich hatte gesehen	I had seen
du hattest gesehen	you had seen
etc.	etc.

3. The auxiliary **sein** rather than **haben** is used with intransitive verbs showing motion from one place to another or change of condition, and with the following verbs: **bleiben, gelingen, geschehen, sein.**

ich bin gelaufen	I have run
ich bin gewesen	I have been
ich bin geworden	I have become

4. Use of the present perfect:

The present perfect is used chiefly for past time in conversation, even where English uses the simple past.

Ich **bin** heute in die Stadt **gegangen.**   I went to town today.

5. The future tense is formed with the present of the auxiliary **werden** plus the infinitive of the verb concerned.

ich werde gehen	I will go
du wirst gehen	you will go
er wird gehen	he will go
etc.	etc.

6. Word order:

   a. In the compound tenses discussed above, the auxiliary is regarded as the verb and therefore, in a main clause, it stands in second place. The past participle and the infinitive stand at the end.

Er **hat** ihn noch nicht **gesehen.**
Er **war** nicht mit uns **gekommen.**
Er **wird** ihn am nächsten Tag auch nicht **sehen.**

Note: In a sentence containing both a past participle and an infinitive, the infinitive phrase stands at the end, set off by a comma.

Wir haben das Haus verlassen, um in den Wald zu gehen.

b. In a dependent clause, the auxiliary stands at the end.

Ich weiß, daß er ihn noch nicht gesehen **hat.**
Ich weiß, daß er dann noch nicht gekommen **war.**
Ich weiß, daß er auch heute nicht kommen **wird.**

7. Special problems in the use of certain subordinating conjunctions:

a. With **nachdem,** German usage varies from English. In English, we may say: He came (*past*) after I left (*past*) the room. He will come (*fut.*) after I leave (*present*) the room. In German, the sequence of tenses is as follows:

Er **kam** (*past*), nachdem ich das Zimmer **verlassen hatte** (*pluperf.*)
Er **wird kommen** (*fut.*), nachdem ich das Zimmer **verlassen habe** (*present perf.*)

b. The three German words for *when* are used as follows:

(1) **als** for past time (except as in 3 below)

Als er mich **sah, kam** er zu mir.

(2) **wann** for direct and indirect questions

Wann kommt er? Ich weiß nicht, **wann** er kommt.

(3) **wenn** for present and future time and for past time if *whenever* is implied

Wenn er mich **sieht,** wird er kommen.
Er kam **immer** zu mir, **wenn** er mich sah.

III. EXERCISES

A. *Answer orally.*

1. Hat Goethe eine Oper „Faust" geschrieben? 2. Ist es wahrscheinlich, daß ein Mann wie Faustus wirklich gelebt hat? 3. Wer

war Johann Wolfgang Goethe? 4. Was hat Goethe aus der alten Geschichte von Faustus gemacht? 5. Was hatte Goethes Faust viele Jahre getan? 6. Hat er einen Pakt mit dem Teufel gemacht? 7. War der Pakt derselbe wie in der alten Geschichte? 8. Hat Goethe seinem Drama dasselbe Ende gegeben wie in der alten Geschichte? 9. Wohin ist Faust mit dem Teufel gegangen? 10. Wen hat er in Griechenland gesehen? 11. Ist er durch den Teufel glücklich geworden? 12. Worin hat er Glück gefunden? 13. Hat der Teufel seine Seele genommen? 14. Haben Sie Goethes „Faust" gelesen? 15. Werden Sie nächstes Jahr dieses Drama lesen? 16. Erst wann wird ein Student es lesen können? 17. Hatten Sie schon von Faust gehört, bevor Sie in diese Klasse kamen?

B. *Give the third person singular in present perfect, pluperfect and future of the verbs listed in Chapter 11, pp. 90–91.*

C. *Change to present perfect, pluperfect and future the sentences in Chapter 11, D.*

D. *Repeat the sentences in C above, introducing each with* **Ich weiß, daß** ....

E. *Write four sentences about Faust beginning with:* **als, wenn, wann, nachdem.**

F. *Write in German.*

1. Two students have stepped into the room. 2. They have come without their books. 3. "What did you do today?" says one of them. 4. "A friend and I went to (into) a restaurant," says the other. 5. "After we had eaten, we sat there and talked about our work. 6. We found other friends there too. 7. They stood at our table and talked with us. What did you do?" 8. "Since I had never been in the city, I took my car and drove there. 9. My uncle lives there, and I hadn't yet seen him this year." 10. "Did you read the story of Dr. Faustus?" 11. "No, I took the book to my room, but it got too warm, so I slept. 12. Probably I will not have time to read the story today. 13. My brother says that he will tell it to me. 14. When he tells us the story, we will probably understand it."

IV. PATTERN DRILLS

1. *Change the sentences from present perfect to pluperfect.* *Example:* Der Professor hat das Buch genommen. Der Professor hatte das Buch genommen.

(1) Er hat mir nicht geantwortet.
(2) Sie sind zu uns gekommen.
(3) Sie hat lange in Deutschland gelebt.
(4) Hat er seine Arbeit gemacht?
(5) Ist er schon da gewesen?
(6) Wir haben es ihm schon gegeben.
(7) Ich habe das Haus verlassen.
(8) Er ist aus dem Haus gegangen.

2. *Change the sentences from the future to the present perfect.* *Example:* Der Dichter wird ein Drama schreiben. Der Dichter hat ein Drama geschrieben.

(1) Dieser Mann wird nicht lange leben.
(2) Sie werden nicht lange bleiben.
(3) Er wird erst um Mitternacht gehen.
(4) Er wird einige Bücher nehmen.
(5) Ich werde einige Stunden schlafen.
(6) Wirst du mit ihm gehen?
(7) Heute abend wird er nichts tun.
(8) Wahrscheinlich wird er ihnen helfen.

3. *Answer the following questions affirmatively in the first person singular, and add a clause in the third person singular with* **mein Freund** *as subject.* *Example:* Sind Sie ins Haus getreten? Ja, ich bin ins Haus getreten, und mein Freund ist auch ins Haus getreten.

(1) Sind Sie nach Deutschland gereist?
(2) Sind Sie lange da geblieben?
(3) Sind Sie in Heilbronn gewesen?
(4) Sind Sie in den Harz gefahren?
(5) Sind Sie nach Goslar gekommen?
(6) Sind Sie nach Weinsberg gegangen?
(7) Sind Sie zum Bahnhof gelaufen?
(8) Sind Sie glücklich geworden?

4. *Change the sentences from future to present perfect.* *Example:* Er wird
uns verlassen. Er hat uns verlassen.
(1) Er wird wahrscheinlich studieren.
(2) Wahrscheinlich wird sie es nicht verstehen.
(3) Er wird den Pakt unterschreiben.
(4) Deshalb wird sie ihn verlassen.
(5) Er wird es ihr wohl erklären.
(6) Er wird es ihm wohl erzählen.

5. *Introduce each of the following sentences with* Ich weiß, daß . . . , *placing
the auxiliary at the end.* *Example:* Er hat den Dichter gesehen. Ich
weiß, daß er den Dichter gesehen hat.
(1) Das Mädchen ist heute abend gekommen.
(2) Das Kind ist erst jetzt zu Bett gegangen.
(3) Sie haben nur klares Wasser getrunken.
(4) Er hat erst um halb neun gegessen.
(5) Sie hatte ihr Zimmer schon verlassen.
(6) Mein Bruder hatte nichts davon verstanden.
(7) Er hatte ihn am Bahnhof getroffen.
(8) Er wird ihn am Bahnhof treffen.

6. *Answer the following questions with* Nein, *but affirm in present perfect.*
Example: Geht er heute in die Stadt? Nein, er ist gestern schon in
die Stadt gegangen.
(1) Tut er es heute?
(2) Hilft er ihm heute?
(3) Fährt er heute in die Stadt?
(4) Spricht er heute mit dem Dichter?
(5) Gibt er es ihm heute?
(6) Erklärt er es ihm heute?
(7) Lesen wir es heute?
(8) Zeigt er es uns heute?

7. *Connect the following pairs of sentences with* als, wenn, *or* wann *as
required.* *Example:* Ich war schon da. Er kam endlich.   Ich war
schon da, als er endlich kam.
(1) Ich werde hier sein. Er kommt.
(2) Ich verstehe ihn. Er spricht langsam.

(3) Ich lief ins Haus. Ich sah ihn.
(4) Ich sah ihn. Er trat ins Zimmer.
(5) Er saß immer da. Ich kam ins Zimmer.
(6) Er las ein neues Buch. Wir fanden ihn.
(7) Ich weiß nicht. Kommt er?
(8) Ich weiß nicht. Geht er mit ihr?

REVIEW II

Vocabulary

der **Fluß, ="sse** river
der **Graf, –en, –en** count
der **Kampf, ="e** battle
der **Kristall', –e** crystal
der **Rücken, —** back

das **Wohnzimmer, —** living room

die **Flasche, –n** bottle, flask
die **Gnade, –n** mercy
die **Terrasse, –n** terrace

doch surely; nevertheless
romantisch romantic
vielleicht perhaps, maybe
wieder again

behalten, behielt, behalten (behält) keep
bitten, bat, gebeten beg, ask
heißen, hieß, geheißen be called; **ich heiße Schmidt** my name is Smith
holen fetch, go and get
mitnehmen take along
töten kill
zerstören destroy

IDIOMS

zu Abend essen eat supper
bitten um ask for

104

I. READING

„Es war ein schöner, warmer Sommerabend, und wir saßen mit der Familie Schröder auf der kleinen Terrasse vor ihrem Haus. Wir hatten in ihrem hübschen Wohnzimmer zu Abend gegessen, und nach dem Abendessen waren wir alle auf die Terrasse vor dem Haus gegangen.

Nachdem jeder seinen Platz am runden Tischchen gefunden hatte, sagte Herr Schröder: ,Nun soll unser amerikanischer Gast aber auch ein Glas Neckarwein trinken. Er weiß vielleicht nicht, daß nicht alle deutschen Weine vom Rhein kommen, sondern daß wir auch hier im Neckartal einen sehr guten Wein haben. Ich will uns eine Flasche holen.'

Er tat es, und während wir unseren Wein aus den schönen Kristallgläsern tranken, sagte ich: ,In Amerika liest man viel über den Rhein und seine romantischen Burgen, aber wir wissen nicht viel über die kleinen Flüsse Deutschlands. Ich möchte, während ich hier bin, auch etwas über die Burgen am Neckar hören. Da ich nun in Weinsberg bin, darf ich doch nicht wieder nach Amerika gehen, ohne die Geschichte von der Burg hier in Weinsberg gehört zu haben.'

,Ach, ja', sagte Herr Schröder, ,unsere Weibertreu! Die lieben wir sehr, und jeder Weinsberger kann Ihnen ihre Geschichte erzählen. Es war im Jahre 1140, als Kaiser Konrad II. (der Zweite) einen bitteren Krieg gegen den Grafen Welf führte. Nach einem schweren und bitteren Kampf nahm der Kaiser auch die Burg in Weinsberg. Er sagte: ,,Ich werde diese Burg zerstören und werde alle Männer töten." Aber dann kamen die Frauen von Weinsberg und baten um Gnade. Endlich sagte der Kaiser: ,,Bevor ich die Burg zerstöre und die Männer töte, dürfen alle Frauen die Burg verlassen, und jede darf mitnehmen, so viel sie auf dem Rücken tragen kann." Wie erstaunt war der Kaiser, als er am nächsten Morgen die Frauen langsam aus der Burg wandern sah, jede mit ihrem Mann auf dem Rücken! Er hielt sein Wort und ließ die Frauen ihre Männer behalten. Seit diesem Tage heißt die Burg die Weibertreu.' "

(*Fortsetzung folgt, Seite 149*)

II. EXERCISES

A. *Answer orally.*

1. Was für ein Abend war es? 2. Wo saßen die Freunde? 3. Mit wem saßen sie da? 4. Was für ein Wohnzimmer hatten Schröders? 5. Was hatte man nach dem Abendessen getan? 6. Was für ein Tisch stand

auf der Terrasse? 7. Was soll der amerikanische Gast trinken?
8. Was weiß er vielleicht nicht? 9. Was will Herr Schröder tun?
10. Woraus trank man den Wein? 11. Was findet man am Rhein?
12. Worüber lesen wir nicht viel in Amerika? 13. Was möchte der
amerikanische Gast? 14. Was darf er nicht? 15. Was kann jeder
Weinsberger? 16. Erzählen Sie die Geschichte von der Weibertreu!

B. *Change the following sentences to plural, at the same time changing the
verbs to past tense.*

1. Die Familie des Bauers ist groß. 2. Neben seinem Haus steht die
Kirche. 3. Der Turm der Kirche ist hoch. 4. Die Frau arbeitet mit
ihrem Mann auf dem Feld. 5. Vormittags geht die Mutter mit ihrer
Tochter aus dem Haus. 6. Das Kind läuft schnell durch die Tür des
Hauses. 7. Das Mädchen tritt auf die Straße. 8. Der Bruder ist noch
im Bett. 9. Er sieht durch das Fenster. 10. In seinem Zimmer steht
ein Tisch. 11. Das Mädchen trifft den Freund des Bruders. 12. Der
Herr ist nicht aus diesem Dorf. 13. Er ist ein Gast in der Gastwirtschaft des Dorfes. 14. Der Mann sitzt unter dem Baum vor dem
Bauernhaus. 15. Im Sommer ist der Tag oft warm. 16. Das Jahr ist
lang.

C. *Fill in the endings.*

1. Das hübsch— Mädchen war hier. 2. Er sieht das hübsch—
Mädchen. 3. Die gut— Studentin ist meine Freundin. 4. Ich fragte
die gut— Studentin. 5. Er gibt es dem hübsch— Mädchen. 6. Das
groß— Fenster ist schön. 7. Das ist die berühmt— Burg. 8. Das ist
der gut— Mensch. 9. Ich sehe den gut— Menschen. 10. Dies ist
das groß— Zimmer. 11. Der Professor sitzt an dem braun— Tisch.
12. Er geht an die grau— Tür. 13. Ich sah den alt— Mann. 14. Er
zeigte mir die berühmt— Burg. 15. Ich verstehe das deutsch— Wort.
16. Ich gehe zu dem neu— Bahnhof. 17. Der jung— Gepäckträger
ist da. 18. Der alt— Mann saß in der klein— Gastwirtschaft.
19. Das klein— Kind liegt in dem weiß— Bett. 20. Der groß— Zug ist
gekommen. 21. Das rot— Auto ist sehr hübsch. 22. Die Frau stand
auf dem hoh— Berg. 23. Das eng— Tal liegt vor mir. 24. Er steht
bei dem dick— Turm. 25. Der Bauer ist in dem groß— Wagen gefahren. 26. Die alt— Straße ist eng. 27. Siehst du den spitz— Turm?
28. Siehst du die weiß— Kirche? 29. Der jung— Mann sieht die alt—
Stadt an dem grün— Berg. 30. Hinter der dick— Mauer ist der alt—
Graben. 31. Da ist der schön— Fluß. 32. Der stolz— Mann ist gekommen. 33. Ich sehe den stolz— Mann. 34. Sie sah das einfach—

Zimmer. 35. Das glücklich— Kind ist bei mir gewesen. 36. Der stolz— Adler trug die golden— Krone. 37. Er wohnte in dem einfach— Haus. 38. Er erzählte mir die alt— Geschichte. 39. Der groß— Fluß ist schön. 40. Der lang— Kampf ist bitter.

D. *In the sentences in C above replace the definite articles by indefinite articles, making the necessary changes in adjective endings.*

E. *Change everything possible in C above to the plural.*

F. *Answer orally.*

1. Um wieviel Uhr beginnt unsere Deutschstunde? 2. Um wieviel Uhr endet sie? 3. Um wieviel Uhr essen Sie zu Abend? 4. Um wieviel Uhr gehen Sie zu Bett? 5. Wie spät ist es jetzt?

G. *Give in German:* 9:30 A.M., 6:15 P.M., 7:45 P.M., 4:30 A.M.

H. *Supply the correct word for* when.

1. —fahren Sie nach Deutschland? 2. Ich weiß noch nicht, — ich wieder dahin fahre. 3. — ich heute morgen zur Universität ging, traf ich viele Studenten. 4. Ich traf immer viele Freunde, — ich dahin ging. 5. — ich nach Europa fahre, werde ich auch Deutschland besuchen. 6. — wir im Sommer in Österreich waren, sahen wir viele interessante Städte.

I. *Restate the sentences in C above, beginning each with* **Ich weiß, daß** *and changing the verb first to past tense and then to future and to present perfect.*

J. *Outline in the third person singular present tense the visits to Goslar and Weinsberg. Include the following verbs.*

1. halten 2. fahren 3. kommen 4. sehen 5. sitzen 6. sprechen 7. treffen 8. treten 9. verlassen 10. essen 11. liegen 12. gehen.

K. *Rewrite J above in past time.*

L. *Write eight sentences about the visit in the Lüneburger Heide beginning with the following words or expressions.*

1. An einem Sonntag Morgen 2. Als 3. Nachdem 4. Obwohl 5. Weil 6. Während 7. Da (*adverb*) 8. Da (*conjunction*).

M. *Write in German.*

1. Peter's mother has to work hard. 2. She can't do her work without help. 3. The children are supposed to help her with it every day. 4. Sometimes, however, she lets them go without helping her. 5. Peter often speaks of America. 6. He would like to come and see our country. 7. There is so much to see in this big country. 8. If he comes next year, he will not be able to stay very long. 9. His sister Irmgard wants, of course, to go with him. 10. But she can't go yet, because she is still very young and isn't allowed to go without her father or her mother. 11. She often says, "Our brothers are allowed to do everything, but I can't step out of the house without asking my mother! 12. Although I am eleven years old, I have to go to my room at half past nine and go to bed." 13. But she always takes two or three books to her room and reads for an hour or two. 14. Sometimes she is still sleeping at a quarter of nine in the morning. 15. Peter says, „For years this girl has been wanting to take a trip to America. 16. She is too young now, but in three or four years she will probably go with me or with her sister. 17. Since our family is large, we can't always do what we want to. 18. In our large family everyone has to work for the others too." 19. While I was walking to the university today, I met a good friend. 20. His name is Fritz Huber. 21. He had been in Germany in the summer, and we were talking about this trip. 22. "Did you stay long in the big cities?" I asked. 23. "No," he answered, "I did not go to (into) the big cities, because I don't like them. 24. But I did see a very beautiful small city while I was in Germany. 25. After I had been in the Lüneburger Heide with my German friends, I took a trip into the Harz. 26. While I was in Goslar, I saw many interesting things. 27. Since I had asked a German friend to go with me, we soon found a good hotel directly on the market place. 28. Often, when we stood at our window, we heard the music below us. 29. When I go to Germany again, I will perhaps take you along too. 30. Then I will show you not only the large and famous cities, but also a few small villages."

IV. PATTERN DRILLS

(*Review II-A*)

1. *Answer each question affirmatively in first person singular, and add a clause with* **mein Freund** *as subject, changing the possessive adjective to correspond to the subject.* *Example:* Treffen Sie Ihren Bruder? Ja, ich treffe meinen Bruder, und mein Freund trifft seinen Bruder.

(1) Behalten Sie Ihr Buch?
(2) Treten Sie in Ihr Zimmer?
(3) Helfen Sie Ihrer Schwester?
(4) Tragen Sie Ihr Gepäck?
(5) Sehen Sie Ihren Schatten?
(6) Nehmen Sie Ihr Käsebrot?
(7) Sprechen Sie mit Ihrer Mutter?

2. *From each of the following sentences, make a phrase using the adjective attributively.* *Example:* Unsere Burg ist berühmt. Unsere berühmte Burg.

(1) Meine Frage ist dumm.
(2) Unsere Arbeit ist schwer.
(3) Seine Musik ist schön.
(4) Ihre Terrasse ist hübsch.

(5) Deine Tür ist eng.
(6) Eure Kirche ist hoch.
(7) Seine Straße ist lang.
(8) Unsere Welt ist schön.

3. *Make new phrases, following the same pattern.* *Example:* Sein Sohn ist jung. Sein junger Sohn.

(1) Euer Bahnhof ist klein.
(2) Mein Weg ist lang.
(3) Ihr Mann ist stolz.
(4) Sein Tisch ist hoch.

(5) Dein Onkel ist alt.
(6) Ihr Freund ist einsam.
(7) Unser Markt ist groß.
(8) Unser Wald ist schattig.

4. *Answer the following questions with* **Nein,** *but affirm in the future, beginning with* **aber.** *Example:* Hat er ihn gesehen? Nein, aber er wird ihn sehen.

(1) Hat er es getan?
(2) Hat er ihm geholfen?
(3) Hat er mit dem Professor gesprochen?
(4) Hat er es ihm gesagt?
(5) Hat er es geschrieben?
(6) Hat er es gelesen?

(7) Ist er ins Haus gegangen?

(8) Ist er in die Stadt gefahren?

5. *Answer the following questions with* **Nein,** *but affirm in the present perfect tense, replacing* **schon** *with* **erst heute.** *Example:* Hatte sie schon mit ihm gesprochen? Nein, sie hat erst heute mit ihm gesprochen.

(1) Hatte sie ihn schon gesehen?

(2) Hatte sie es schon getan?

(3) Hatte sie es schon gefunden?

(4) Hatte sie es schon gelesen?

(5) Hatte sie es schon genommen?

(6) War sie schon gegangen?

(7) War sie schon in die Stadt gefahren?

6. *Connect each pair of sentences by the conjunction suggested. Example:* Ich war schon da. Er kam ins Hotel. (als) Ich war schon da, als er ins Hotel kam.

(1) Er wird ins Hotel fahren. Er findet ein Taxi. (sobald)

(2) Ich möchte ihn heute treffen. Er wird uns bald verlassen. (da)

(3) Er hilft mir immer. Ich bitte ihn um Hilfe. (wenn)

(4) Er half mir nicht. Ich bat ihn um Hilfe. (als)

(5) Er hat mir nicht geholfen. Ich habe ihn oft um Hilfe gebeten. (obwohl)

(6) Ich weiß nicht. Er hat dieses Drama geschrieben. (wann)

7. *Answer the questions affirmatively, inserting the possessive adjective corresponding to the subject and the adjective* **eigen** *before the noun. Example:* Sieht er ein Haus? Ja, er sieht sein eigenes Haus.

(1) Hat er ein Buch?

(2) Hat sie ein Buch?

(3) Haben wir ein Buch?

(4) Haben die Männer ein Buch?

(5) Hat er einen Wagen?

(6) Hat sie einen Wagen?

(7) Haben wir einen Wagen?

(8) Haben die Frauen einen Wagen?

(9) Hat er eine Gastwirtschaft?

(10) Hat sie eine Gastwirtschaft?

(11) Haben wir eine Gastwirtschaft?

(12) Haben die Bauern eine Gastwirtschaft?

8. *Change the sentences from present to past. Example:* Er hat große Angst.
Er hatte große Angst.

(1) Sie bittet ihn um ein Glas Wasser.
(2) Die Kinder haben keine Angst.
(3) Die Geschichte ist schnell zu Ende.
(4) Wir sprechen oft über unseren Professor.
(5) Wir gehen nicht oft zu Fuß.
(6) Es gibt keinen Fluß in unserer Stadt.
(7) Er verläßt bald die Stadt Goslar.
(8) Sie lernt immer alles auswendig.

M. *Pattern drills (Review II-B)*

1. *From each of the following sentences make a phrase using the adjective
attributively. Example:* Sein Haus ist modern. Sein modernes Haus.

(1) Unser Dorf ist klein.
(2) Mein Bett ist eng.
(3) Ihr Kind ist jung.
(4) Sein Gepäck ist schwer.
(5) Euer Tal ist grün
(6) Dein Zimmer ist still.
(7) Ihr Brot ist gut.
(8) Unser Land ist schön.

2. *Answer the questions affirmatively, inserting the possessive adjective corre-
sponding to the subject and the adjective* **eigen** *before the noun. Example:*
Spricht er von einem Kind? Ja, er spricht von seinem eigenen
Kind.

(1) Wohnt er in einem Haus?
(2) Wohnt sie in einem Haus?
(3) Wohnen wir in einem Haus?
(4) Wohnen die Bauern in einem Haus?
(5) Saß er an einem Tisch?
(6) Saß sie an einem Tisch?
(7) Saßen wir an einem Tisch?
(8) Saßen die Kinder an einem Tisch?
(9) Sprach er von einer Familie?
(10) Sprach sie von einer Familie?
(11) Sprachen wir von einer Familie?
(12) Sprachen die Kinder von einer Familie?

3. *Connect each pair of sentences with the conjunction suggested. Example:*
Ich muß ihm die Geschichte erklären. Er versteht sie nicht.
(weil) Ich muß ihm die Geschichte erklären, weil er sie nicht
versteht.

(1) Ich bleibe im Hause. Ich muß noch arbeiten. (weil)

(2) Ich blieb im Hause. Er ging in den Wald. (während)

(3) Das Kind lief aus dem Haus. Es hatte Angst. (weil)

(4) Das Kind lief aus dem Haus. Die anderen Kinder blieben da. (während)

(5) Mutter gab mir ein Käsebrot. Ich hatte Hunger. (weil)

(6) Mutter gab mir ein Käsebrot. Ich saß am Tisch. (während)

(7) Ich will ihm die Geschichte erklären. Er versteht sie nicht. (weil)

(8) Ich will ihm die Geschichte erklären. Er ist bei mir. (während)

4. *Restate the following sentences, placing the subordinate clause first and changing the word order as required. Example:* Ich habe ihn gesehen, sobald er ins Haus kam. Sobald er ins Haus kam, habe ich ihn gesehen.

(1) Er wird es mir erklären, wenn ich es nicht verstehe.

(2) Wir sahen die Burg, als wir in Weinsberg waren.

(3) Er wird wohl kommen, wenn ich ihn darum bitte.

(4) Er ist im Haus geblieben, während ich da war.

(5) Er studierte Medizin, nachdem er Philosophie studiert hatte.

(6) Er hat es nicht getan, obwohl ich ihn darum gebeten habe.

(7) Sie trat ins Zimmer, als wir zu Abend aßen.

(8) Er hatte den Bahnhof schon verlassen, als ich kam.

5. *Below you will find the infinitive of a modal auxiliary followed by two short sentences. Make new sentences, using the modal. Example:*
können   Ich gehe noch nicht. Ich kann noch nicht gehen.

(1) dürfen   Wir gehen noch nicht.
              Ich esse nicht zu viel.

(2) wollen   Wir bitten ihn darum.
              Ich trinke ein Glas Wein.

(3) können   Wir tragen es nicht auf dem Rücken.
              Er zerstört die Burg nicht.

(4) mögen   Wir essen nicht viel.
              Ich schlafe nicht lange.

(5) sollen   Wir haben unsere Bücher hier.
              Ich bringe sie dem Professor.

(6) müssen   Wir arbeiten heute noch viel.
              Ich gehe jetzt auf mein Zimmer.

6. *Answer the questions using the adjective suggested.* *Example:* Von was für einem Drama sprach er? (modern) Er sprach von einem modernen Drama.

(1) In was für einem Zug fuhr er? (schnell)
(2) Was für eine Geschichte erzählte er? (dumm)
(3) Was für eine Blume hatte er? (gelb)
(4) In was für einer Straße wohnte er? (still)
(5) Was für Bilder sind dies? (modern)
(6) In was für Häusern wohnen sie? (modern)
(7) Was für ein Wohnzimmer hat die Familie? (groß)
(8) Was für Figuren sind am Rathaus? (grotesk)

7. *Below appears a statement concerning clock time, followed by a question in the second person. Answer in the first person singular, giving the clock time five minutes later than that in the statement.* *Example:* Ich esse um fünfundzwanzig Minuten nach fünf zu Abend. Wann essen Sie zu Abend? Ich esse um halb sechs zu Abend.

(1) Ich esse um sieben Uhr zu Abend. Wann essen Sie zu Abend?
(2) Ich esse um zehn Minuten nach sechs zu Abend. Wann essen Sie zu Abend?
(3) Ich esse um fünfundzwanzig Minuten nach sechs zu Abend. Wann essen Sie zu Abend?
(4) Ich esse um zwanzig Minuten vor sieben zu Abend. Wann essen Sie zu Abend?
(5) Ich gehe um fünfundzwanzig Minuten nach neun zu Bett. Wann gehen Sie zu Bett?
(6) Ich gehe um fünfundzwanzig Minuten nach zehn zu Bett. Wann gehen Sie zu Bett?
(7) Ich gehe um fünf Minuten vor elf zu Bett. Wann gehen Sie zu Bett?

CHAPTER 13

Vocabulary

der **Himmel,** — sky, heaven
St. *abbrev. for* (der) **Sankt** saint
der **See, –n** lake
der **Wolfgangsee** Lake Wolfgang

das **Dörfchen,** — little village
(das) **Österreich** Austria
das **Salzkammergut** *name of a region in Austria*
das **Schiff, –e** ship, boat
das **Spielzeug, –e** plaything, toy
das **Ufer,** — shore, bank

die **Landschaft, –en** landscape
die **Lokal'bahn, –en** local railway
die **Spitze, –n** point
die **Wallfahrt, –en** pilgrimage
die **Wallfahrtskirche, –n** pilgrimage church
die **Wiese, –n** meadow

die **Alpen** Alps

*an·kommen, kam an, ist angekommen arrive
an·sehen, sah an, angesehen, (sieht an) look at
auf·stehen, stand auf, ist aufgestanden get up
aus·sehen, sah aus, ausgesehen (sieht aus) look like
aus·steigen, stieg aus, ist ausgestiegen get out, climb out

besuchen visit
ein·steigen, stieg ein, ist eingestiegen get in, climb in
erscheinen, erschien, ist erschienen appear
heraus·wachsen, wuchs heraus, ist herausgewachsen (wächst heraus) grow out of
hinan·steigen, stieg hinan, ist hinangestiegen climb up
hinauf·fahren, fuhr hinauf, ist hinaufgefahren (fährt hinauf) ride up
hinein·ragen jut up into
hinunter·fahren, fuhr hinunter, ist hinuntergefahren (fährt hinunter) ride down
übersetzen translate
vorbei·gehen, ging vorbei, ist vorbeigegangen go past
weiter·fahren, fuhr weiter, ist weitergefahren (fährt weiter) ride on, drive on

blau blue
österreichisch Austrian
rötlich reddish
sonnig sunny

IDIOM

an dem Haus vorbei·gehen go past the house

---

*The raised dot is used in the vocabularies of this book to indicate a separable prefix.

114

Separable and Inseparable Prefixes

I. READING

Der Professor erzählt: „Mein alter Freund Peter und ich haben in diesem Sommer auch Österreich besucht. Wir waren lange in der schönen alten Stadt Salzburg und machten von da manchmal kleine Reisen ins Salzkammergut. An einem klaren, sonnigen Tag stiegen wir in den kleinen Zug der Lokalbahn ein. Der Zug sah aus wie ein Spielzeug, und nachdem wir eingestiegen waren, erklärte Peter mir, daß er nur langsam die Berge hinauffuhr, aber dann sehr schnell wieder hinunterfuhr. Nach zwei Stunden kamen wir in dem kleinen Dorf St. Gilgen an. Wir gingen die Dorfstraße entlang, am Mozartbrunnen vorbei und an den Wolfgangsee hinunter. In fünf Minuten erschien ein kleines Schiff, wir stiegen ein, und das Schiff fuhr weiter. Und nun lag die schöne Landschaft des Salzkammerguts vor uns. Auf den Wiesen an den Ufern des blaugrünen Sees standen große alte Bauernhäuser aus weißem Stein mit grauen Dächern. Hohe grüne Berge standen dahinter oder wuchsen auch direkt aus dem See heraus, und hinter ihnen ragten die rötlichen Spitzen der österreichischen Alpen in den blauen Himmel hinein. Bald erschien vor unserem kleinen Schiff die alte Wallfahrtskirche von St. Wolfgang. Wie die Berge wächst auch sie mit ihrem schweren Turm aus dem blaugrünen Wasser heraus, und hinter ihr steigen die Häuser des Dorfes den Berg hinan. Diese berühmte alte Kirche wünschten wir uns anzusehen, also standen wir von unseren Plätzen auf und stiegen aus.

(Fortsetzung folgt)

II. GRAMMAR

1. There are two kinds of prefixes frequently used with verbs, separable and inseparable.

   a. The inseparable prefixes are: **be-, emp-, ent-, er-, ge-, ver-, zer-** (they should be memorized). As their name indicates, they are

115

never separated from the main body of the verb. The only way in which verbs with inseparable prefixes differ from verbs without prefixes is in the omission of **ge-** from the past participle: erzählen, erzählte, **erzählt;** verstehen, verstand, **verstanden**

An inseparable prefix is never accented.

b. The separable prefixes are too numerous to be listed. Almost any preposition and many adverbs may be used as separable prefixes.

(1) A separable prefix is separated from its verb and placed at the end of the clause in the *present* and *past* tenses in *main clauses.*

Er **kommt** heute abend um halb neun **an.**	He's arriving tonight at 8:30.
Sie **stand** heute morgen um halb acht **auf.**	She got up at 7:30 this morning.

Exceptions: infinitive phrases and phrases introduced by **wie** usually stand after the separable prefix.

Ich **stieg** in den Zug **ein,** um nach Salzburg zu fahren.	I got on the train to go to Salzburg.
Der Zug **sah aus** wie ein Spielzeug.	The train looked like a toy.

(2) In all other situations the prefix remains attached to the verb.

Er war heute morgen **angekommen.**	He had arrived this morning.
Sie wird heute nicht **aufstehen.**	She will not get up today.
Ich weiß, daß sie immer sehr spät **aufsteht.**	I know that she always gets up very late.

Note particularly that in a subordinate clause the prefix is never separated from the verb.

(3) When **zu** is used with the infinitive of a separable verb, it stands between the prefix and the verb.

Ich wünsche, um 7 Uhr auf**zu**stehen. I wish to get up at 7 o'clock.

(4) When the prefixes meaning *in* and *out* (**ein, aus, hinein, hinaus**) are used with an expression of place, a preposition is required in addition to the prefix. Thus one says: **Ich gehe hinein** *I go in;* but **Ich gehe in das Haus hinein.** *I go*

into the house. In such cases the prefix is used chiefly for emphasis.

(5) A separable prefix is always accented.

2. Some prepositions are occasionally used as inseparable prefixes. When so used, their meaning is usually changed somewhat.

Thus **unter** means *under,* but
Er **unterschrieb** den Pakt means: He signed the pact.
And **über** means *over,* but
Wir **übersetzen** die Geschichte means: We translate the story.

III. EXERCISES

A. *Answer orally.*

1. Wann haben der Professor und sein Freund Österreich besucht?
2. Wo waren sie lange? 3. Wohin haben sie von dort kleine Reisen gemacht? 4. An was für einem Tag sind sie in den kleinen Zug eingestiegen? 5. Wie sah der Zug aus? 6. Wie stieg er die Berge hinauf? 7. Wie fuhr er wieder hinunter? 8. Wann sind die Freunde in St. Gilgen angekommen? 9. Was haben sie da getan? 10. Was für ein Schiff erschien in fünf Minuten? 11. Was sahen die Freunde vom Schiff? 12. Wo standen die großen alten Bauernhäuser? 13. Was für Dächer hatten sie? 14. Beschreiben Sie die Berge! 15. Was sahen die Freunde, als sie in St. Wolfgang ankamen?

B. *Give the first and third person singular and plural in present, past, present perfect, pluperfect and future.*

1. einsteigen 2. erscheinen 3. aufstehen 4. vorbeigehen 5. hinauffahren 6. entlanggehen 7. übersetzen 8. aussehen 9. ankommen 10. ansehen 11. mitnehmen

C. *Give the following sentences in the past, the present perfect and the future.*

1. Ich steige in mein Auto ein. 2. Ich fahre die Straße entlang. 3. Ich komme an einem schönen Hause vorbei. 4. Es sieht aus wie eine alte Kirche. 5. Ein alter Mann erscheint in der Tür. 6. Er sieht mich freundlich an. 7. Er kommt aus dem Hause heraus. 8. Aber ich fahre schnell weiter.

D. *Introduce each sentence in* C *above with* **Sie weiß, daß** . . . .

E. *Connect each pair of sentences with the conjunction in parentheses, placing the subordinate clause first.*

1. Ich ging die Straße entlang. Ich sah einen alten Freund. (während)
2. Wir fuhren so langsam den Berg hinauf. Wir konnten alles gut sehen. (weil)
3. Wir fuhren den Berg hinunter. Der Zug fuhr schnell. (als)
4. Wir kamen bald am Ufer des Sees an. Das Schiff war schon weitergefahren. (obwohl)
5. Ich gehe an seinem Hause vorbei. Er sieht mich immer freundlich an. (wenn)

F. *Form short sentences in the present tense from each of the following groups of words; then change them to present perfect and to future.*

1. Freunde, Schiff, einsteigen. 2. Auto, Berg, hinunterfahren. 3. Student, um sieben Uhr, aufstehen. 4. Mädchen, um halb neun, Bahnhof, ankommen. 5. Wir, Kirche, vorbeigehen. 6. Mann, ein Deutscher, aussehen. 7. Professor, Geschichte, übersetzen. 8. Studenten, Zimmer, um acht Uhr, herauskommen. 9. Ich, Onkel, besuchen. 10. Frau, Kinder, ansehen. 11. Er, Straße, entlanggehen.

G. *Write in German.*

1. I always get up at half past six. 2. I get into my car in order to drive to the university. 3. Often I drive slowly along the street and look at the people. 4. I come past many beautiful and modern houses. 5. But I drive on very fast, for I have to be at the university at ten past eight. 6. I arrive at five after eight. 7. The university is new, but it looks like a Gothic church. 8. In front of the door an old friend appears. 9. He tells me that he has driven along the highway. 10. He had got up at a quarter past six in order to drive past the new house of a friend. 11. He had looked at it, but he had driven on without getting out. 12. I will not arrive in the forenoon because I always get up late. 13. When I arrive at the railroad station, I will probably find my sister there. 14. He asked me to drive on quickly.

IV. PATTERN DRILLS

1. *Change the following sentences from past to present tense. Example:* Ich besuchte meinen alten Onkel. Ich besuche meinen alten Onkel.

(1) Ein freundlicher Mann erschien in der Tür.

(2) Die Studenten übersetzten eine lange Geschichte.

(3) Herr Schröder beschrieb die berühmte Burg.

(4) Ein kluger Student erklärte sie ihnen.

(5) Er verließ die Universität um halb vier.

(6) Wir verstanden seine Worte nicht.

(7) Behielt der Student sein deutsches Buch?

(8) Der Graf zerstörte die ganze Burg.

2. *Answer each question affirmatively, replacing the noun subject by the appropriate pronoun. Example:* Fährt das Taxi die Straße entlang? Ja, es fährt die Straße entlang.

(1) Ging der Herr an unserem Haus vorbei?

(2) Sieht die Mutter das Kind an?

(3) Stand der Herr von seinem Platz auf?

(4) Sah dein Bruder gut aus?

(5) Stiegen ide Männer ins Auto ein?

(6) Sah der Student ihn freundlich an?

(7) Laufen die Kinder die Berge hinunter?

(8) Sieht die Kirche sehr alt aus?

3. *Answer the questions affirmatively. Example:* Wird der Student bald aufstehen? Ja, der Student wird bald aufstehen.

(1) Wird das Schiff hier vorbeifahren?

(2) Ist das Schiff schon vorbeigefahren?

(3) War das Schiff schon vorbeigefahren?

(4) Wird er uns freundlich ansehen?

(5) Hat er uns freundlich angesehen?

(6) Hatte er uns freundlich angesehen?

4. *Change the sentences from future to present perfect. Example:* Man wird die historische Burg zerstören. Man hat die historische Burg zerstört.

(1) Der Professor wird wohl nicht erscheinen.

(2) Die Studenten werden alles übersetzen.

(3) Sie werden wohl nicht alles verstehen.

(4) Ein kluger Student wird die Grammatik erklären.

(5) Er wird auch die Stadt Salzburg beschreiben.

(6) Die Studenten werden das Zimmer nicht verlassen.

(7) Sie werden auch Salzburg besuchen.

5. *Answer the questions with* **Nein,** *but affirm in the present tense, beginning with* **aber.** *Substitute* **bald** *for* **schon.** *Example:* Ist er schon einge-stiegen? Nein, aber er steigt bald ein.

(1) Ist er schon angekommen?
(2) Ist sie schon vorbeigefahren?
(3) Ist sie schon aufgestanden?
(4) Sind sie schon weitergefahren?
(5) Sind sie schon hinuntergegangen?
(6) Ist er schon ausgestiegen?

6. *Answer the questions with* **Nein,** *but affirm in the present perfect, sub-stituting* **schon** *for* **bald.** *Example:* Kommt er bald an? Nein, er ist schon angekommen.

(1) Steht er bald auf?
(2) Geht er bald hinunter?
(3) Fährt er bald weiter?
(4) Steigt sie bald ein?

(5) Kommt er bald heraus?
(6) Steigt er bald aus?
(7) Kommt er bald vorbei?

7. *Answer the questions with* **Ich weiß nicht, ob ....** *Example:* Stand er immer um sieben Uhr auf? Ich weiß nicht, ob er immer um sieben Uhr aufstand.

(1) Geht er die Straße entlang?
(2) Kommt er schon um fünf Uhr an?
(3) Sah der alte Herr gut aus?
(4) Ging er an dem Brunnen vorbei?
(5) Fuhr der Zug den Berg hinunter?
(6) Steht sie um sechs Uhr auf?
(7) Geht er ins Haus hinein?
(8) Kommt er wieder heraus?

8. *Answer the questions with* **Ich weiß nicht, ...** *Example:* Warum ist er noch nicht aufgestanden? Ich weiß nicht, warum er noch nicht aufgestanden ist.

(1) Wo ist er ausgestiegen?
(2) Wann ist er hier entlanggegangen?
(3) Wo wird er ankommen?
(4) Wann wird er aufstehen?
(5) Warum war er noch nicht aufgestanden?
(6) Wann werden unsere Freunde weiterfahren?
(7) Wann ist er hier angekommen?
(8) Warum ist er nicht herausgekommen?

9. *Form sentences, each to begin with* **Ich wünsche** *and followed by the infinitive phrase suggested.* *Example:* diese Straße entlanggehen — Ich wünsche, diese Straße entlangzugehen.

(1) in die Kirche eintreten
(2) bald aufstehen
(3) schnell hinunterfahren
(4) ein anderes Dorf ansehen
(5) diesen Weg entlanggehen
(6) an dem schönen Rathaus vorbeigehen

CHAPTER 14

Vocabulary

der **Bischof,** ⁓e bishop
der **Friede, –ns** peace
der **Laienbruder,** ⁓ lay brother
der **Wolf,** ⁓e wolf

das **Beil, –e** hatchet
das **Kirchlein, —** little church
(das) **Regensburg** city in Bavaria
das **Wunder, —** miracle

die **Ehre, –n** honor
die **Einsamkeit** loneliness
die **Legende, –n** legend
die **Postkarte, –n** postcard
die **Wildnis, –se** wilderness

bauen build
fallen, fiel, ist gefallen (fällt) fall
geschehen, geschah, ist geschehen
  (geschieht) happen, take place
hin·fallen, fiel hin, ist hingefallen
  (fällt hin) fall down
rennen, rannte, ist gerannt race,
  run

verkaufen sell
werfen, warf, geworfen (wirft)
  throw

allein alone
gesund healthy, well
heilig holy, saintly
krank sick

also so, thus
gern gladly
sogar even
zuerst first, at first
zufrieden satisfied, content
zurück back

selbst myself, himself, herself *etc.*

Idioms

etwas gern haben like something
gern tun like to do *e.g.*, **Ich arbeite**
  gern I like to work
eines Tages one day

122

Past, Present Perfect and Pluperfect of Irregular Weak Verbs and of Modals

I. READING

„Vor der Tür der Kirche saß eine alte Frau und verkaufte Postkarten. Diese alte Frau kannte die Legende vom heiligen Wolfgang, und da ich solche alten Legenden sehr gern habe, erzählte sie sie mir: ‚In dieser Kirche geschehen große Wunder, denn der heilige Wolfgang selbst hat sie gebaut. Vor hunderten von Jahren war er Bischof in Regensburg. Eines Tages dachte er, er möchte in die Wildnis gehen, um in der Einsamkeit Frieden zu finden. Er tat das und nahm einen Laienbruder mit, aber dieser mochte die Einsamkeit nicht, und nach sechs Jahren verließ er den heiligen Wolfgang. Nun, da dieser ganz allein in der Wildnis leben mußte, wollte er eine Kirche bauen. Er sagte: „Ich will mein Beil vom Berge hinunterwerfen, und da, wo es hinfällt, baue ich eine Kirche." Also warf er sein Beil vom Berg hinunter, und es fiel ans Ufer des Sees. Aber nun kam der Teufel und sagte: „Du darfst hier keine Kirche bauen. Ich will es nicht!" Aber Wolfgang wußte, daß der Teufel keine Macht über ihn hatte. Ja, obwohl der Teufel es nicht gern tat, mußte er ihm sogar beim Bauen der Kirche helfen. Aber der Teufel sagte: „Wer zuerst in deine Kirche kommt, ist mein." St. Wolfgang baute die Kirche, und als erster rannte ein Wolf aus der Wildnis hinein. Diesen Wolf hat der Teufel nehmen dürfen und mußte damit zufrieden sein.

Nun sollte St. Wolfgang nach Regensburg zurückgehen. Da sagte sein Kirchlein zu ihm: „Ich will mit dir gehen." Aber das Kirchlein durfte nicht mitgehen, denn es mußte hier bleiben, wo es große Wunder tun sollte. Wolfgang sagte: „Wenn kranke Menschen zu dir kommen, sollst du sie gesund machen." ‘

So erzählte die alte Frau und sagte dann: ‚Und so ist es geworden. In diesen hunderten von Jahren sind viele kranke Menschen in unsere Kirche gekommen, und sehr oft hat der heilige Wolfgang sie gesund machen können. Ich habe es selbst lange nicht glauben wollen, aber eines Tages ist mein eigener Sohn durch St. Wolfgang gesund geworden, und da habe ich es glauben müssen'."

123

II. GRAMMAR

1. A few weak verbs are irregular, that is, they change their stem vowel in the past and past participle in addition to adding **-t**.

   a.
brennen	brannte	gebrannt	*burn*
kennen	kannte	gekannt	*know* (persons, places, things)
nennen	nannte	genannt	*name, call*
rennen	rannte	gerannt	*race, run*
senden	sandte	gesandt	*send*
wenden	wandte	gewandt	*turn*

   b.
bringen	brachte	gebracht	*bring*
denken	dachte	gedacht	*think*
wissen	wußte	gewußt	*know* (facts)

   c.
dürfen	durfte	gedurft,	dürfen
können	konnte	gekonnt,	können
mögen	mochte	gemocht,	mögen
müssen	mußte	gemußt,	müssen

   Note. The modals **sollen** and **wollen** are regular in their principal parts: sollen, sollte, gesollt, sollen; wollen, wollte, gewollt, wollen

2. All modals have two past participles, as indicated above. The first one, with the prefix **ge-**, is used when no complementary infinitive is used with the modal (even though such an infinitive may be understood).

Ich habe es immer **gemocht.**	I have always liked it.
Ich habe es nie **gekonnt.**	I have never been able (to do) it.

   The second past participle, which looks exactly like the infinitive, is used when a complementary infinitive is used with the modal.

Ich habe heute gut arbeiten **können.**	I have been able to work well today.
Er hatte zur Universität gehen **wollen.**	He had wanted to go to the university.

   For the sake of convenience (since the past participle is identical with the infinitive), this construction is commonly called the double infinitive construction.

3. Word order: the double infinitive construction *always* stands at the end of the clause, even in a subordinate clause.

   Ich weiß, daß er heute nicht hat **arbeiten können.**

4. The verbs **helfen, hören, lassen, sehen** are like modals in that they usually employ a double infinitive construction in the perfect tenses.

Ich hatte ihn kommen sehen.   I had seen him come.

III. EXERCISES

A. *Answer orally.*

1. Kannten Sie die Geschichte von St. Wolfgang? 2. Warum wollte St. Wolfgang in die Wildnis gehen? 3. Warum ist der Laienbruder nicht bei ihm geblieben? 4. Was wollte St. Wolfgang nun bauen? 5. Wer mußte ihm beim Bauen der Kirche helfen? 6. Hat der Teufel ihm gern geholfen? 7. Warum durfte das Kirchlein nicht mitgehen, als St. Wolfgang nach Regensburg zurückging? 8. Wann hat die alte Frau die Geschichte von St. Wolfgang glauben müssen? 9. Haben Sie Ihre Bücher heute mitgebracht? 10. Haben Sie alles in dieser Geschichte verstehen können? 11. Lesen Sie gern gute Bücher? 12. Reisen Sie gern? 13. Haben Sie moderne Bilder gern? 14. Haben Sie immer gern gute Bücher gelesen?

B. *Give the first and third person singular in present, past, and present perfect.*

1. sollen 2. wissen 3. bringen 4. nennen 5. dürfen 6. mögen 7. rennen 8. müssen 9. können 10. denken 11. kennen 12. wollen

C. *Restate the following sentences in past, pluperfect, and future.*

1. Das große Haus brennt. 2. Seine Mutter nennt ihn immer Hänschen. 3. Du kennst mich, aber du weißt nicht viel von mir. 4. Er denkt, ich kann alles. 5. Was will er? 6. Mein alter Freund bringt mir ein gutes Buch. 7. Der Student soll die lange Geschichte lesen. 8. Er kann sie nicht erklären. 9. Er muß zu viel arbeiten. 10. Er mag nicht mehr arbeiten. 11. Er will nicht hier bleiben. 12. Aber er darf wohl nicht gehen.

D. *Supply the German for the italicized phrases.*

1. Faust *didn't want to* den Pakt unterschreiben, aber er *had to* es tun. 2. Er *was supposed to* mit seinem eigenen Blut unterschreiben. 3. Er *didn't like to* das tun, aber nur so *could* der Teufel ihm helfen. 4. Faust *was not allowed to* nein sagen, wenn er des Teufels Hilfe *wanted*.

E. *Write in German.*

1. I have not been able to work well today. 2. But I have had to sit at my table the whole morning. 3. I knew nothing in the (am) morning, and I know nothing now. 4. The professor asked us to write the story of Dr. Faustus. 5. But I don't like (*two ways*) the story. 6. I have never liked (*two ways*) such stories. 7. I was supposed to explain the story, although I could not understand it. 8. I had to ask a friend to help me. 9. He thought that the story was very interesting. 10. Although I did not like it, I wanted to know more about Faust's life with the devil. 11. I have never known a man like Faust.

IV. PATTERN DRILLS

1. *Change the sentences from present to past.* *Example:* Ich kann es nicht beschreiben. Ich konnte es nicht beschreiben.

(1) Das dürfen wir nicht tun.

(2) Er soll es schnell schreiben.

(3) Das können wir nicht tun.

(4) Wir mögen dort nicht leben.

(5) Sie müssen das Haus verlassen.

(6) Ich will es lesen.

(7) Er darf nicht hier bleiben.

(8) Sie wollen es ihm sagen.

(9) Das mußt du mir erklären.

(10) Ich mag nicht allein gehen.

(11) Er kann kranke Menschen gesund machen.

(12) Du sollst schnell aufstehen.

2. *Change the sentences from present to past.* *Example:* Kennen Sie die Legende von St. Wolfgang? Kannten Sie die Legende von St. Wolfgang?

(1) Der Wolf rennt in den Wald zurück.

(2) Man nennt das Kind Fritzchen.

(3) Ich kenne diesen Menschen nicht.

(4) Die Studenten wissen es nicht.

(5) Sogar der Professor weiß es nicht.

(6) Diesmal bringt er sein Buch mit.

(7) Was denken Sie darüber?

(8) Der Bauer bringt das Beil zurück.

3. *Answer the following questions affirmatively in the first person singular, but negate with* **manche Studenten** *as subject. Example:* Haben Sie die Grammatik gern? Ja, ich habe die Grammatik gern, aber manche Studenten haben die Grammatik nicht gern.

(1) Haben Sie die Einsamkeit gern?   (5) Arbeiten Sie gern?
(2) Haben Sie die Wildnis gern?   (6) Wandern Sie gern?
(3) Haben Sie dieses Zimmer gern?   (7) Reisen Sie gern?
(4) Haben Sie moderne Häuser gern?   (8) Trinken Sie gern Wein?

4. *Change the following sentences to the present perfect tense. Examples:* Man kann die Kirche nicht allein bauen. Man hat die Kirche nicht allein bauen können. Man kann es nicht allein. Man hat es nicht allein gekonnt.

(1) Der junge Mann will nicht immer allein sein.
(2) Er will es auch heute nicht.
(3) Diesmal soll die Studentin es selbst tun.
(4) Sie soll es nicht immer.
(5) Das Kind darf nicht allein gehen.
(6) Auch heute darf es nicht.
(7) Wir müssen immer arbeiten.
(8) Auch er muß es immer.
(9) Die Männer können das Gebäude nicht allein bauen.
(10) Sie können es wirklich nicht.
(11) Wir mögen es nicht tun.
(12) Sie mag es auch nicht.

5. *Answer the questions affirmatively and add a phrase in present perfect tense with* **auch heute.** *Example:* Fährt er oft hinauf? Ja, er fährt oft hinauf und ist auch heute hinaufgefahren.

(1) Fällt er oft hin?   (4) Denkt er oft an uns?
(2) Bringt er ihn oft mit?   (5) Nennt man ihn oft so?
(3) Geschieht das oft?   (6) Wirft er es oft hinunter?

6. *Change the sentences to the plural. Example:* Der Fluß ist lang. Die Flüsse sind lang.

(1) Der Platz ist schön.   (6) Die Schwester ist jung.
(2) Die Legende ist interessant.   (7) Das Schiff ist klein.
(3) Die Postkarte ist hübsch.   (8) Das Ufer ist hoch.
(4) Der Wolf ist grau.   (9) Die Wiese ist grün.
(5) Der Bruder ist zufrieden.   (10) Der Kampf ist schwer.

CHAPTER 15

Vocabulary

der **Becher,** — goblet, beaker
der **Diener,** — servant
der **Hirsch, -e** stag
der **Stuhl, ⁼e** chair

das **Flüßchen,** — little stream
das **Gefolge** retinue, following
das **Halali′** sound of a hunting horn
das **Lager,** — camp

die **Gründung, -en** founding
die **Jagd, -en** hunt
die **Siedlung, -en** settlement
die **Zeit, -en** time

(sich) **an·siedeln** settle
(sich) **bewegen** move
blasen, blies, geblasen (bläst) blow
entfernen remove
sich entfernen go away, get away
erheben, erhob, erhoben raise, lift
sich erheben arise, rise up
sich erinnern remember

fließen, floß, ist geflossen flow
sich freuen be glad
gelingen, gelang, ist gelungen succeed
rufen, rief, gerufen call, cry
setzen set
sich setzen sit down
(sich) **um · wenden, wandte um, umgewandt** turn around
verfolgen pursue
sich versammeln gather, collect

silberklar silvery clear
treu faithful

IDIOMS

sich an den Freund erinnern remember the friend
es gelingt mir (ihm) I (he) succeed(s)
das heißt that is
im Jahre 922 in 922
mit der Zeit with time, in time

Reflexives

I. READING

Der Professor fragte einen Studenten: „Erinnern Sie sich noch an die alte Stadt Goslar im Harz?" „Ja", antwortete der Student, „ich erinnere mich noch sehr gut daran." Natürlich erinnerten wir uns alle daran, und wir freuten uns, als unser Professor nun sagte: „Heute will ich Ihnen eine Geschichte von der Gründung Goslars erzählen. Eines Tages im Jahre 922 ging Kaiser Heinrich I. (der Erste) mit seinem Gefolge in der Wildnis des Harzes auf die Jagd. Den ganzen Tag verfolgte er einen großen Hirsch, und mit der Zeit hatte er sich ganz von seinem Gefolge entfernt. Nur ein treuer Diener blieb bei ihm. Endlich, als es Abend wurde, gelang es ihm, den Hirsch zu töten. Es war auf einer grünen Wiese zwischen hohen Bergen und Wäldern, und vom Berge floß ein silberklares Flüßchen auf die Wiese. Der Kaiser sagte zu seinem Diener: ‚Hier ist es schön, hier an diesen Fluß will ich mich setzen, und hier wollen wir essen.' Der Diener blies das Halali, und bald versammelte sich das ganze Gefolge um den Kaiser. Alle setzten sich an den kleinen Fluß; man aß und trank und freute sich. Der Kaiser Heinrich freute sich so über die grüne Wiese, das klare Flüßchen und die schönen Wälder an den Bergen, daß er seinen Weinbecher erhob und rief: ‚Hier will ich mir eine Burg bauen!' Da sprach einer aus seinem Gefolge: ‚Herr, soll das ein Wort sein?' Und der Kaiser antwortete: ‚Ja, ein Kaiserwort!'

Nicht lange darauf erhob sich an dem kleinen Fluß — er hieß die Gose — eine stolze Burg. Mit der Zeit siedelten sich viele Menschen bei der Burg an, und später baute man dicke Mauern mit Türmen um die Siedlung. Die neue Stadt aber nannte man Goslar, das heißt, ‚Lager an der Gose'."

II. GRAMMAR

1. A reflexive verb is one whose object refers to the same person or thing as its subject: *I wash myself.*

123

2. In the first and second person singular and plural the reflexive objects are the same as the regular pronoun objects. In the third person and the conventional second person the reflexive pronoun is **sich** for all numbers and genders, and for both the accusative and dative cases.

ich	wasche **mich**	wir waschen **uns**
du	wäschst **dich**	ihr wascht **euch**
er, sie es	wäscht **sich**	sie waschen **sich**
	Sie waschen **sich**	

3. The reflexive pronoun is often used in the dative:

ich baue	**mir** ein Haus	wir bauen **uns** ein Haus
du baust	**dir** ein Haus	ihr baut **euch** ein Haus
er, sie, es baut	**sich** ein Haus	sie bauen **sich** ein Haus
	Sie bauen **sich** ein Haus	

4. Reflexives are much more common in German than in English, and verbs which are reflexive in German though not in English should be especially noted. In English a transitive verb (e.g., *move*) is often used intransitively as well. In German such verbs usually remain transitive, taking a reflexive object when there is no other object.

Er **bewegte** die Lippen.	He moved his lips.
Seine Lippen **bewegten sich.**	His lips moved.
Er **wandte** den Kopf zur Seite, als er mich sah.	He turned his head aside, when he saw me.
Er **wandte sich** um, als er mich sah.	He turned around when he saw me.

5. Reflexive pronouns are often used to mean *each other.*

Sie lieben **sich** sehr.	They love each other very much.
Wir sehen **uns** nicht sehr oft.	We don't see each other very often.

In cases where any ambiguity might result, **einander** is used instead of a reflexive.

Sie hassen **einander.**	They hate each other.

6. The intensifying pronouns **selbst** and **selber** must not be confused with reflexives. They serve only for emphasis, and can be used interchangeably for all persons and numbers.

Wir werden es **selber** (**selbst**) tun.	We will do it ourselves.
Er **selbst** (**selber**) brachte es mir.	He himself brought it to me.

III. EXERCISES

A. *Analyze the gender, number, and case of each reflexive pronoun in* I.

B. *Answer orally.*

1. Erinnern Sie sich an die Geschichte von St. Wolfgang? 2. Warum siedelte er sich in der Wildnis an? 3. Was wollte er sich dort bauen? 4. Freute er sich über seine Kirche? 5. Freuen Sie sich über Ihre Arbeit? 6. Erinnern Sie sich noch an die alte Stadt Goslar? 7. Wohin ging Kaiser Heinrich I. eines Tages? 8. Was geschah, als er einen großen Hirsch verfolgte? 9. Wer ist bei ihm geblieben? 10. Ist es dem Kaiser gelungen, den Hirsch zu töten? 11. Wo war der Kaiser am Abend mit seinem Gefolge? 12. Was für ein Fluß floß vom Berg? 13. Wie hieß dieser Fluß? 14. Wohin setzte sich der Kaiser? 15. Worüber freute er sich? 16. Wo erhob sich eine stolze Burg? 17. Wohin setzen wir uns, wenn wir essen? 18. Gelingt es Ihnen immer, Ihre Arbeit richtig zu machen?

C. *Conjugate in present, past, present perfect, and future.*

1. sich freuen 2. sich eine Kirche bauen 3. sich auf den Stuhl setzen 4. sich an einen Freund erinnern.

D. *Supply in past tense the correct reflexive form of the verb in parentheses.*

1. Ich — — an den Tisch (setzen) 2. Wir — — an den Tisch (setzen). 3. Wir — — über das schöne Land (freuen). 4. Er — — über das schöne Land (freuen). 5. Ich — — ein Buch (holen). 6. Das Mädchen — — ein Buch (holen). 7. — ihr — an diesen Mann (erinnern)? 8. Wir — — um zehn Uhr in der Kirche (versammeln). 9. Heute — ich — die neue Kirche (ansehen). 10. Er — — die Kirche auch (ansehen). 11. Du — — wahrscheinlich nicht mehr an ihn (erinnern).

E. *Restate the sentences in* D *above, introducing each by* **Ich weiß, daß** ...

F. *Change the sentences in* D *above to present perfect tense.*

G. *Write in German.*

1. I remember the old city of Goslar well. 2. Our professor is glad that we remember it. 3. The legend tells that Emperor Henry I himself found this valley in 922. 4. High mountains rose up out of

the pretty green valley. 5. After the emperor had succeeded in killing the stag, he sat down beside the little stream. 6. He liked the place and built himself a castle there. 7. Soon many other people came and settled there. 8. What is the name of your professor? 9. This is my old friend Peter; do you still remember him? 10. Will we succeed in learning these new words?

IV. PATTERN DRILLS

1. *Answer the following questions, using the verb employed in the preceding statement. In this drill* **sie** *is always plural. Example:* Er entfernte sich. Und sie? Sie entfernten sich.

(1) Er setzt sich hin. Und wir?
(2) Sie erinnerten sich daran. Und du?
(3) Ich freue mich darüber. Und ihr?
(4) Ihr setzt euch hin. Und ich?
(5) Sie freuten sich darüber. Und er?
(6) Ich erinnere mich daran. Und sie?
(7) Du setzt dich hin. Und ihr?
(8) Wir freuen uns darüber. Und du?

2. *Answer the questions negatively in the first person singular but affirm in the third person singular with* **ein anderer Student** *as subject. Example:* Setzten Sie sich hin? Nein, ich setzte mich nicht hin, aber ein anderer Student setzte sich hin. (*Note that in the negative statement,* **nicht** *is always the second to the last element.*)

(1) Setzen Sie sich auf den Stuhl?
(2) Setzten Sie sich an den Tisch?
(3) Wandten Sie sich um?
(4) Erinnern Sie sich an diesen Mann?
(5) Freuen Sie sich darüber?

3. *Answer the questions affirmatively in the first person singular and add a clause with* **eine andere Studentin** *as subject. Example:* Haben Sie sich auf den Stuhl gesetzt? Ja, ich habe mich auf den Stuhl gesetzt, und eine andere Studentin hat sich auch auf den Stuhl gesetzt. (*Note that* **auch** *always stands directly after the reflexive pronoun*).

(1) Haben Sie sich hingesetzt?
(2) Haben Sie sich an den Tisch gesetzt?
(3) Hatten Sie sich an ihn erinnert?

(4) Hatten Sie sich umgewandt?

(5) Werden Sie sich an ihn erinnern?

(6) Haben Sie sich über die Musik gefreut?

4. *Answer the questions affirmatively in the first person plural and add a clause in the third person plural with* **andere Studenten** *as subject. Example:* Versammeln Sie sich in der Straße? Ja, wir vesammeln uns in der Straße, und andere Studenten versammeln sich auch in der Straße.

(1) Treffen Sie sich hier?

(2) Versammeln Sie sich da?

(3) Freuen Sie sich darüber?

(4) Setzen Sie sich an den Tisch?

(5) Haben Sie sich hingesetzt?

(6) Haben Sie sich die Stadt angesehen?

(7) Werden Sie sich daran erinnern?

5. *Answer the questions affirmatively, replacing the nouns by pronouns. Examples:* Gelang es der Studentin, etwas Neues zu machen? Ja, es gelang ihr, etwas Neues zu machen. Erinnert er sich noch an seinen Bruder? Ja, er erinnert sich noch an ihn.

(1) Gelingt es dem Mann, etwas Gutes zu tun?

(2) Ist es der Studentin gelungen, alles auswendig zu lernen?

(3) Gelingt es den Studenten, schnell hinaufzusteigen?

(4) Erinnert er sich noch an seinen Freund?

(5) Erinnert er sich noch an seine Freundin?

(6) Erinnert sie sich noch an ihre Freunde?

6. *Answer the questions negatively in the first person singular, but affirm in the third person singular with* **mein Freund** *as subject. Example:* Haben Sie sich ein Haus gebaut? Nein, ich habe mir kein Haus gebaut, aber mein Freund hat sich ein Haus gebaut.

(1) Sehen Sie sich ein Auto an?

(2) Bauen Sie sich ein Haus?

(3) Haben Sie sich ein Drama angesehen?

(4) Holen Sie sich ein Buch?

(5) Hatten Sie sich ein Bild angesehen?

CHAPTER 16

Vocabulary

der **Nachbar,** –n   neighbor

(das) **Amerika,**   America
das **Ideal',** –e   ideal
das **Volk,** –̈er   people, nation
das **Werk,** –e   work, piece of work

die **Freiheit**   freedom
die **Schweiz**   Switzerland

aus · **drücken, drückte aus, ausgedrückt**   express
beschreiben, beschrieb, beschrieben   describe
gewinnen, gewann, gewonnen   win, gain
spielen   play
unterdrücken, unterdrückte, unterdrückt   oppress

bekannt   known, well-known
lang, länger, längst-   long
mächtig   powerful
politisch   political

IDIOMS

immer mehr   more and more
immer schwerer   harder and harder, more and more difficult

Comparison of Adjectives and Adverbs
Impersonal Verbs

I. READING

Unser Professor erzählt: „Es gibt viele große Dichter in der deutschen Literaturgeschichte. Obwohl Sie wahrscheinlich noch nicht viele von diesen Dichtern kennen, wissen Sie vielleicht doch, daß Friedrich Schiller einer der berühmtesten ist. Noch berühmter als Schiller ist Goethe, aber viele Deutsche haben Schiller lieber als Goethe, denn er hat am besten das alte Ideal der Freiheit ausgedrückt. Eines der bekanntesten Werke Schillers ist das Drama von Wilhelm Tell. Hier hat Schiller wohl besser und klarer als in allen seinen anderen Dramen den Kampf eines Volkes um seine politische Freiheit beschrieben. Das Drama spielt in der Schweiz, einem viel kleineren Lande als Deutschland. Es lebte aber in diesem kleinen Lande ein Volk mit den höchsten und ältesten Idealen der Freiheit. Die Schweiz hatte einen mächtigen Nachbar, Österreich, und Österreich wünschte, Macht über die Schweiz zu gewinnen. Der mächtigere Nachbar unterdrückte das kleine Volk immer mehr.

(Fortsetzung folgt)

II. GRAMMAR

1. The comparison of adjectives is similar to that in English. To form the comparative, –er is added. To form the superlative, –st is added, or –est, if the adjective ends in **d, t, s, z,** or **sch.** There is no equivalent of the English comparative with *more* and superlative with *most.*

klein, kleiner, kleinst-	small, smaller, smallest
interessant, interessanter, interessantest-	interesting, more interesting, most interesting

2. Most of the common monosyllabic adjectives take an Umlaut on the vowel in the comparative and superlative.

alt, älter, ältest-   jung, jünger, jüngst-

3. Irregular adjective comparisons:

> gut, besser, best-
> groß, größer, größt-
> hoch, höher, höchst-
> viel, mehr, meist-

4. When used attributively, the comparative and superlative are inflected like the positive with appropriate weak or strong endings.

ein kleineres Kind; der größte Mann; höhere Häuser

Exception: **mehr** is never inflected: Er hat **mehr** Freunde als ich.

5. The comparative, like the positive, is uninflected in the predicate.

Dein Haus ist sehr **groß**, aber meines ist noch **größer.**

6. The superlative is always inflected. In the predicate, it is most commonly used with **am** and the ending **–en.**

Im Sommer ist Deutschland **am**   In summer Germany is (the) most
schönsten.   beautiful.

But if *the most beautiful one* is meant, **der (das, die) schönste** is used.

Mein Haus ist **das schönste** in   My house is the most beautiful one
der Stadt, aber seines ist **das**   in town, but his is the biggest.
größte.

7. **Derselbe, dasselbe, dieselbe** *the same* are actually two words written without a space between them, and each part is therefore inflected as if written separately.

Ich gab **demselben** Mann ein Buch.   Er zeigte es **derselben** Frau.

But when they are used after a preposition contracted with an article, the two parts are separated.

Er kam **am selben** Tag und wohnte **im selben** Haus.

8. Comparison of adverbs

Adverbs are compared like adjectives, except that the superlative is always used with **am.**

Er arbeitet **gut,** sie arbeiten **besser,** wir arbeiten **am besten.**

9. Irregular adverb: **gern, lieber, am liebsten**

Ich habe Mathematik **gern.**	I like mathematics.
Ich habe Soziologie **lieber.**	I like sociology better.
Ich habe Deutsch am **liebsten.**	I like German best

10. In making comparisons, **so . . . wie** is used with the positive, **als** with the comparative.

Er ist nicht **so alt wie** ich, aber er ist **klüger als** ich.	He is not as old as I, but he is more intelligent than I.

11. Impersonal verbs, for which there are no literal English equivalents:

a. **Es freut mich (ihn, uns).** I am (he is, we are) glad.

b. **Es gibt keinen besseren Mann** auf der Welt. There is no better man in the world.

Es gibt keine besseren Menschen auf der Welt. There are no better people in the world.

Since in these expressions **es** is the subject, the verbs are always in the singular and are followed by the accusative of direct object.

c. **Es ist kein Mensch** in diesem Zimmer. There is no one in this room.

Es sind vier Menschen hier. There are four people here.

In this expression, the word following the verb **sein** is the logical subject; therefore the verb agrees with it in number. The difference in meaning between **es gibt** and **es ist (sind)** cannot be precisely defined. **Es gibt** is used for *there is* when *is* implies *exists* and in broad, fairly indefinite statements. **Es ist (sind)** is used in more specifically limited statements, as shown in the examples above.

12. The impersonal **es** can be used with almost any verb in German and when so used is generally omitted when translating into English.

Es kamen viele Leute nach Berlin. Many people came to Berlin.

This construction can, however, be used only in normal order. In inverted and dependent order the impersonal **es** is omitted.

Heute kamen viele Leute nach Berlin. Today many people came to Berlin.

III. EXERCISES

A. *Answer orally.*

1. Wer ist der berühmteste deutsche Dichter? 2. Welchen Dichter haben viele Deutsche lieber? 3. Gibt es einen berühmteren Dichter als Schiller? 4. Was drückte Schiller in seinen Werken aus? 5. Was hat der Dichter in „Wilhelm Tell" beschrieben? 6. Ist die Schweiz so groß wie Deutschland? 7. Welches Land ist größer, Deutschland oder Amerika? 8. Was für ein Land war Österreich? 9. Was tat Österreich immer mehr? 10. Sind die Berge in Österreich höher als die Berge in der Schweiz? 11. Ist ein Hügel so hoch wie ein Berg? 12. Gibt es hohe Berge in unserer Stadt?

B. *Supply the German for the words in parentheses.*

1. Ihr (*younger*) Bruder bleibt (*longer*) in Deutschland. 2. Er ist mein (*best*) Freund. 3. Hat dieses Land (*faster*) Züge als Deutschland? 4. Hinter unserem Haus steht ein (*higher one*). 5. Ihre (*oldest*) Schwester ist eine (*better*) Studentin als sie. 6. Der Sommer ist die (*warmest*) Zeit des Jahres. 7. Er ist ein viel (*more interesting*) Mensch als du. 8. Der (*most powerful*) Nachbar der Schweiz war Österreich. 9. Dieser Student ist der (*most stupid*) von allen. 10. Er trat in ein (*darker*) Zimmer.

C. *Change the sentences in B above to plural (except 6 and 8).*

D. *Use the comparative of the adjective or adverb in parentheses as shown in the example.*

   Example: Deutschland, Amerika (klein)
   Deutschland ist kleiner als Amerika.

1. Sohn, Tochter (klug). 2. Amerika, Deutschland (groß) 3. Vater, Mutter (alt) 4. Sommer, Winter (warm). 5. Kirche, Haus (hoch). 6. Unser Haus, dein Haus (schön). 7. Shakespeare, Schiller (berühmt). 8. Schwester, ihr Bruder (jung). 9. Ich, er (glücklich). 10. Mathematik, Deutsch (schwer). 11. Soziologie, Deutsch, haben (gern). 12. Kind, ich, laufen (schnell).

E. *Write in German.*

1. Schiller is not as famous in this country as Goethe. 2. Goethe is the best known German writer. 3. We like Goethe better than Schiller.

4. Schiller expresses most clearly and beautifully the ideal of freedom. 5. Some people believe that he has higher ideals than Goethe. 6. There are many good dramas in (the) German literature. 7. But some people like stories better than plays. 8. Some students like to learn German grammar, although (the) most prefer (like better) to read stories or plays. 9. The plays of Schiller are more interesting than the grammar. 10. There are twenty-three students in this room. 11. They have all read the same stories. 12. They like the story of St. Wolfgang best of all.

IV. PATTERN DRILLS

1. *Form sentences comparing the persons and things mentioned. Example:* Der Mann ist jung. Aber das Mädchen? Das Mädchen ist jünger als der Mann.

(1) Hans ist groß. Aber Peter?
(2) Fritz ist jung. Aber Marie?
(3) Das Haus ist hoch. Aber die Kirche?
(4) Das weiße Haus ist schön. Aber das grüne?
(5) Mein Auto ist gut. Aber sein Auto?
(6) Dieser Student ist klug. Aber der andere?
(7) Die Geschichte ist interessant. Aber das Drama?
(8) Wir haben viel Arbeit. Aber er?
(9) Die Frau ist alt. Aber er?
(10) Das Drama ist lang. Aber die Geschichte?

2. *Change the sentences from the positive to the comparative. Example:* Mein Haus ist so groß wie seines. Mein Haus ist größer als seines.

(1) Mein Vater ist so alt wie deiner.
(2) Er hat so viele Freunde wie ich.
(3) Ihr Feld ist so groß wie unseres.
(4) Ihre Kirche ist so hoch wie unsere.
(5) Dein Bier ist so gut wie meines.
(6) Ist euer Zimmer so dunkel wie unseres?
(7) Ist dein Bruder so jung wie meiner?
(8) Unsere Straße ist so lang wie eure.
(9) Deine Antworten sind so dumm wie meine.
(10) Unser Volk hat so viel Freiheit wie seines.

3. *From each statement below, make a new one in the first person singular introduced by* **aber**, *using the comparative of the adjective with* **noch**. *Example:* Er ist ein dummer Student. Aber ich bin ein noch dümmerer Student.

(1) Er ist ein kluger Student.
(2) Er kennt einen guten Weg.
(3) Er erzählt interessante Geschichten.
(4) Er sah einen hohen Berg.
(5) Er hat ein dunkles Zimmer.
(6) Er wohnt in einer großen Stadt.
(7) Er arbeitete an einem warmen Tag.
(8) Er hat einen alten Freund.
(9) Er hat viel Glück.
(10) Er macht eine lange Reise.

4. *Answer the questions affirmatively, using the superlative of the adjective and the phrase* **im Haus**. *Example:* Sind dies die alten Gläser? Ja, dies sind die ältesten Gläser im Haus.

(1) Ist dies das lange Bett?
(2) Sind dies die interessanten Bücher?
(3) Ist dies der schwere Stuhl?
(4) Ist dies die berühmte Figur?
(5) Ist dies das gute Bier?
(6) Ist dies das warme Zimmer?
(7) Ist dies der gute Wein?
(8) Ist dies die hohe Tür?
(9) Sind dies die alten Bilder?
(10) Ist dies das große Fenster?

5. *Answer the questions affirmatively, using the superlative of the adjective and the phrase* **von allen**. *Example:* Ist sein Auto schneller als meines? Ja, sein Auto ist das schnellste von allen.

(1) Ist sein Haus höher als unseres?
(2) Ist seine Antwort besser als meine?
(3) Ist seine Universität größer als unsere?
(4) Ist unsere Universität älter als seine?
(5) Ist sein Sohn klüger als unserer?
(6) Waren seine Geschichten interessanter als meine?
(7) Hat er mehr Freiheit als wir?
(8) Hat er mehr Freunde als ich?

6. *Change the adjectives and adverbs in the following sentences to the superlative with* **am.** *Example:* Abends arbeite ich gern. Abends arbeite ich am liebsten.

(1) Abends arbeite ich gut.
(2) Abends ist es immer kühl.
(3) Im Haus ist es immer warm.
(4) Am Morgen trinke ich gern Kaffee.
(5) Ich schlafe gern in einem warmen Bett.
(6) Am Abend esse ich gern ein Käsebrot.
(7) Hier ist der Wald dunkel.
(8) Im Sommer ist Deutschland schön.

7. *Change the following sentences from the positive to the comparative. Example:* Ich lese Dramen so gern wie Geschichten. Ich lese Dramen lieber als Geschichten.

(1) Ich habe Schillers Werke so gern wie Goethes.
(2) Sie hat sein Land so gern wie ihres.
(3) Wir haben unsere Stadt so gern wie eure.
(4) Ich trinke Wein so gern wie Bier.
(5) Er liest deutsche Bücher so gern wie amerikanische.
(6) Er reist so gern in Deutschland wie in Amerika.

CHAPTER 17

Vocabulary

der **Apfel**, – apple
der **Befehl**, –e command, order
der **Hut**, –e hat
der **Landvogt**, –e governor (*Swiss*)
der **Name**, –ns, –n name
der **Schütze**, –n, –n marksman
der **Schweizer**, — Swiss
der **Soldat'**, –en, –en soldier

das **Kapitel**, — chapter
das **Knie**, –e knee

die **Heimat** home
die **Pflicht**, –en duty
die **Stange**, –n pole
die **Leute** (*pl.*) people

beugen bend
ergreifen, ergriff, ergriffen seize, grasp
hassen hate
schießen, schoß, geschossen, shoot

sofort' at once, immediately
tyrannisch tyrannical
voll full, full of

IDIOMS
er ließ den Hut auf die Stange setzen he had the hat put on the pole

Relative Pronouns

I. READING

„Endlich ging es so weit, daß es den Schweizern zu viel wurde. In dem kleinen Dorfe Altdorf, das nicht weit von Tells Heimat lag, war ein großer Platz, an dem jeden Tag viele Leute vorbeikommen mußten. Hier ließ der tyrannische Landvogt den Hut Österreichs auf eine lange Stange setzen, die man auf den Platz gebracht hatte. Jeder Mensch, der an dem Hut vorbeikam, mußte das Knie davor beugen. Eines Tages sahen die zwei Soldaten, die immer bei der Stange stehen mußten, Wilhelm Tell mit seinem kleinen Sohn Walter den Weg entlangkommen. Obwohl er den Hut auf der Stange sah, beugte Tell nicht das Knie, sondern ging daran vorbei. Die Soldaten, deren Pflicht es war, dem Befehl des Landvogts zu folgen, ergriffen Tell sofort. Während die vielen Leute, vor denen dies geschah, voll Angst auf Tell sahen, erschien Geßler, der österreichische Landvogt, den alle Leute haßten, mit seinen Männern auf dem Marktplatz. Geßler wußte, daß Tell als guter Schütze bekannt war und sagte also: ‚Tell, du bist doch der Mann, dessen Name als guter Schütze im ganzen Land bekannt ist? Nun, jetzt sollst du mir zeigen, was du kannst. Hier ist ein Apfel. Wenn du diesen Apfel vom Kopf deines Sohnes schießen kannst, lasse ich dich leben.' "

(Fortsetzung folgt in Kapitel 18)

II. GRAMMAR

1. The most commonly used relative pronoun (*who, which, that*) is **der, das, die***. With the exception of the dative plural and of all genitive forms it is exactly like the definite article. A relative pronoun agrees in gender and number with its antecedent. Its case is determined by its use in its own clause.

***Welcher**, declined like **dieser**, is also frequently used as a relative pronoun: Dies ist das Zimmer, in **welchem** er wohnt.

Der Mann,	**der** heute kam, ist nicht hier.
Der Mann,	**den** ich heute sah, ist nicht hier.
Der Mann,	**dem** ich es zeigte, ist nicht hier.
Der Mann,	**dessen** Kind krank ist, ist nicht hier.
Das Kind,	**das** heute kam, ist nicht hier.
Das Kind,	**das** ich heute sah, ist nicht hier.
Das Kind,	**dem** ich es zeigte, ist nicht hier.
Das Kind,	**dessen** Mutter krank ist, ist nicht hier.
Die Frau,	**die** heute kam, ist nicht hier.
Die Frau,	**die** ich heute sah, ist nicht hier.
Die Frau,	**der** ich es zeigte, ist nicht hier.
Die Frau,	**deren** Kind krank ist, ist nicht hier.
Die Kinder,	**die** heute kamen, sind nicht hier.
Die Kinder,	**die** ich heute sah, sind nicht hier.
Die Kinder,	**denen** ich es zeigte, sind nicht hier.
Die Kinder,	**deren** Mutter krank ist, sind nicht hier.

For declension of the relative pronoun, see Appendix, p. 206, C.

2. When used with a preposition and the reference is to a thing (not a person) the relative pronoun may be replaced by **wo.**

Ich kenne das Haus nicht, **worin** er wohnt.	I don't know the house in which he lives.

3. A relative pronoun can never be omitted in German, as it often is in English.

Der Mann, **den** ich gestern sah, ist nicht mehr hier.	The man I saw yesterday is no longer here.

4. A relative clause is a subordinate clause. Therefore:

   a. The inflected part of the verb stands at the end.

   b. It is set off by commas from the rest of the sentence.

5. An infrequently used relative pronoun is the so-called *indefinite relative:* **wer** for person; **was** for things. It is declined like the interrogative pronoun. (See Appendix, p. 206, C)

   a. **Wer** is used only when there is no antecedent.

Wer zuletzt lacht, lacht am besten.	He who laughs last laughs best.

   b. **Was** is used:

   (1) When there is no antecedent:

Was neu ist, ist nicht immer gut.	What is new is not always good.

(2) When the antecedent is a clause:

| Er hat keine Freunde, **was** ihn sehr unglücklich macht. | He has no friends, which makes him very unhappy. |

(3) When the antecedent is an indefinite neuter pronoun:

| Das ist alles, **was** ich habe. | That is all that I have. |

(4) When the antecedent is a neuter adjective used as a noun:

| Das Beste, **was** wir haben, ist die Freiheit. | The best thing we have is freedom. |

III. EXERCISES

A. *Analyze the gender, case and number of all relative pronouns occurring in* I.

B. *Answer orally.*

1. Wo war der Hut Österreichs? 2. Was mußte man tun, wenn man an dem Hut vorbeikam? 3. Wer stand immer bei dem Hut? 4. Wer kam eines Tages den Weg entlang? 5. Was tat er nicht, obwohl er den Hut sah? 6. Was mußten die Soldaten natürlich tun? 7. Wer war Geßler? 8. Was taten die Leute, als Geßler erschien? 9. Als was war Tell bekannt? 10. Glauben Sie, daß Tell den Apfel vom Kopfe seines Kindes schießen kann?

C. *Supply the correct form of the relative pronoun.*

1. St. Wolfgang war ein Bischof, — in die Wildnis ging. 2. Sein Beil, — er vom Berg hinunterwarf, war schwer. 3. Der Laienbruder, mit — er in der Wildnis lebte, blieb nicht lange. 4. Die Wildnis, in — er lebte, war sehr einsam. 5. Der Teufel, mit — Hilfe er die Kirche baute, war nicht sehr mächtig. 6. Der Wolf, — der Teufel nehmen mußte, kam aus der Wildnis. 7. Die alte Frau, von — wir die Geschichte hörten, saß vor der Kirche. 8. Die Leute, — St. Wolfgang hilft, sind krank. 9. Meine Freunde, — ich die Geschichte erzählte, glaubten sie nicht. 10. Viele von den Geschichten, — man uns erzählte, sind sehr alt.

D. *Restate the following sentences, changing the words in italics to relative pronouns. Example:* Die Soldaten waren österreichisch; *sie* standen da. Die Soldaten, die da standen, waren österreichisch.

1. Geßler war ein Tyrann; *er* ließ die Stange auf den Platz bringen. 2. Tell hatte zwei Söhne; er liebte *sie* sehr. 3. Dies ist die Stange;

die zwei Soldaten mußten *davor* stehen. 4. Dies ist der tyrannische Landvogt; Tell mußte *seinem* Befehl folgen. 5. Es standen viele Leute auf dem Marktplatz; vor *ihnen* sollte Tell schießen.

E. *Write 16 short German sentences, using all the cases of the relative pronoun* **der, das, die.**

F. *Write in German.*

1. Austria was a country which was more powerful than Switzerland. 2. Here is the hat that the soldiers placed on the pole. 3. Whoever came past the hat, had to bend his knee. 4. The man who gave the order to shoot was a tyrannical governor. 5. Tell, whose son was with him, had to shoot. 6. The two soldiers who stood beside the hat were supposed to seize Tell. 7. The pole upon which Geßler had the hat placed was very high. 8. The man to whom Geßler gave his order was a good marksman. 9. The people before whom Tell shot were all good Swiss. 10. The child with whom Tell had come to the market place was his own son. 11. Tell knew what Geßler wanted. 12. He was supposed to shoot the apple, which Geßler had given him, from his child's head.

IV. PATTERN DRILLS

1. *Combine each of the following pairs of sentences, using a relative pronoun in the nominative case. Example:* Hier ist die Frau. Sie kam ins Zimmer. Hier ist die Frau, die ins Zimmer kam.

(1) Hier ist der Mann. Er kam ins Zimmer.
(2) Ich sehe die Studentin. Sie steht vor dem Gebäude.
(3) Das ist der neue Nachbar. Er ist so freundlich.
(4) Wir sahen einen großen Fluß. Er war sehr klar.
(5) Wir kennen das alte Rathaus. Es ist so berühmt.
(6) Dies ist das kleine Volk. Es kämpft um seine Freiheit.
(7) Das sind die Männer. Sie baten um Hilfe.
(8) Wo sind die Leute? Sie standen auf dem Marktplatz.
(9) Ich weiß nichts von den Studenten. Sie waren gestern hier.

2. *Combine each of the following pairs of sentences, using a relative pronoun in the accusative case. Example:* Sie spricht mit einem Mann. Ich kenne ihn nicht. Sie spricht mit einem Mann, den ich nicht kenne.

(1) Dies ist der Hut. Man setzte ihn auf die Stange.
(2) Das ist der Mann. Ich arbeite für ihn.

(3) Ich kenne den Weg. Wir wollen ihn nehmen.
(4) Dies ist eine Studentin. Ich kenne sie gut.
(5) Wo ist das Spielzeug? Fritz kann es nicht finden.
(6) Wir sprechen von dem neuen Werk. Alle kennen es gut.
(7) Ist dies das Bild? Sein Freund hat es ihm gegeben.
(8) Das ist die Postkarte. Er hat sie mir gezeigt.
(9) Wir standen vor den Häusern. Man hatte sie hier gebaut.
(10) Das sind die Diener. Er ließ sie rufen.

3. *Combine each pair of sentences, using a relative pronoun in the dative case.*
Example: Hier ist der Student. Ich habe ihm mein Buch gegeben.
Hier ist der Student, dem ich mein Buch gegeben habe.

(1) Das ist der Soldat. Man gab ihm diesen Befehl.
(2) Dies ist das Kind. Ich brachte ihm ein Spielzeug.
(3) Dies ist die Frau. Ich erzählte ihr meine Geschichte.
(4) Das sind die Leute. Ich zeigte ihnen die Burg.
(5) Dies ist der Student. Ich habe ihm das Bild gezeigt.
(6) Dies sind die Studenten. Ich habe es ihnen gezeigt.

4. *Answer the following questions negatively. Example:* Hat er dieses Werk erklären lassen? Nein, er hat dieses Werk nicht erklären lassen.

(1) Hat Tell das Knie vor dem Hut gebeugt?
(2) Sollen wir das Knie davor beugen?
(3) Ließ Tell den Hut auf die Stange setzen?
(4) Hat er den Hut auf die Stange setzen lassen?
(5) Läßt er den Apfel auf des Kindes Kopf legen?
(6) Läßt der Professor dieses Werk lesen?
(7) Wird er dieses Werk lesen lassen?
(8) Läßt er diese Geschichte erklären?

5. *Combine each pair of sentences, using a relative pronoun in the dative.*
Example: Dies ist die Studentin. Ich habe mit ihr darüber gesprochen. Dies ist die Studentin, mit der ich darüber gesprochen habe.

(1) Hier ist der Mann. Wir sprachen gestern von ihm.
(2) Ist dies das Kind? Du erzähltest mir von ihm.
(3) Dies ist der Professor. Wir haben so viel bei ihm gelernt.
(4) Ist das das Mädchen? Du bist mit ihm gereist.
(5) Das ist meine älteste Schwester. Ich reise so gern mit ihr.
(6) Das ist die Frau. Ich habe gestern mit ihr gesprochen.
(7) Ich kenne die Männer nicht. Wir sollen mit ihnen arbeiten.
(8) Das sind die Leute. Wir wohnen neben ihnen.

REVIEW III

Vocabulary

das **Frühstück,** –e   breakfast
das **Schloß,** ⸚sser   castle, palace
(das) **Schwaben**   Swabia (*a province of southwestern Germany*)

die **Aufführung,** –en   performance
die **Bank,** ⸚e   bench
die **Freilichtaufführung,** –en   open air performance

sich **an · ziehen, zog an, angezogen**   get dressed
auf · wachen, wachte auf, ist aufgewacht   wake up
interessieren   interest
statt · finden, fand statt, stattgefunden   take place
warten   wait

dahin   there, to a place
früh   early

geboren   born
gestern   yesterday
gleich   right away, at once

IDIOMS

gestern abend   last night
sich für etwas interessieren   be interested in something

I. READING

„Am nächsten Morgen wachte ich früh auf, und während alle anderen im Hause noch schliefen, stand ich auf, zog mich an und verließ das Haus. In wenigen Minuten war ich an dem bekannten Platz angekommen, von dem ich die Weibertreu so schön sehen konnte. Ich setzte mich auf die kleine Bank, die hier stand, und freute mich über das schöne Bild vor mir, das heute am frühen Morgen noch schöner war, als es gestern abend gewesen war.

Ich wollte nicht lange bleiben, denn ich wußte, ich durfte die Familie nicht mit dem Frühstück warten lassen. Aber als ich von der Bank aufstand, sah ich Wolfgang, den jüngsten Sohn der Schröders, den Weg entlangkommen.

Nachdem ich mich wieder gesetzt und er sich auch zu mir auf die Bank gesetzt hatte, erzählte er mir von seiner Heimat, die er sehr liebte und deren Geschichte er gut kannte. Er interessierte sich auch für die Literatur Schwabens und erzählte mir unter anderem auch von Götz von Berlichingen, dessen Schloß Jagsthausen nicht weit von hier war. Ich wußte natürlich etwas über Götz von Berlichingen, da ich das Drama, das Goethe über ihn geschrieben hat, gut kannte. Aber es war doch interessanter, hier in seiner eigenen Heimat über sein Leben zu hören, als nur in Büchern darüber zu lesen. Als wir aufstanden, sagte Wolfgang: ‚Heute abend gibt es eine Freilichtaufführung von *Götz von Berlichingen* in dem Schloßhof von Jagsthausen, und wir wollen alle dahin fahren, um uns das Stück anzusehen.'

Während wir langsam zum Hause zurückgingen, erzählte er mir auch von einigen anderen Dichtern, die hier in Schwaben geboren waren und gelebt hatten. Er konnte mir viel Interessantes über Schiller, über Friedrich Hölderlin und auch über Hermann Hesse, einen Dichter aus unserer eigenen Zeit, erzählen.

Als wir ins Haus traten, stand das Frühstück schon auf dem Tisch, und wir mußten uns gleich an den Tisch setzen. Beim Essen sprach man über die Aufführung von *Götz von Berlichingen*, die am Abend in Jagsthausen stattfinden sollte. Herr Schröder sagte: ‚Wir freuen uns sehr, daß wir unserem amerikanischen Gast etwas zeigen können, wofür ein Professor der deutschen Literatur sich doch interessieren wird.' "

(*Fortsetzung folgt, Seite* 193)

II. EXERCISES

A. *Answer orally.*

1. Wann wachte der Professor am nächsten Morgen auf? 2. Was tat er, nachdem er aufgewacht war? 3. Wohin kam er bald? 4. Was tat er hier? 5. Worüber freute er sich? 6. War das Bild heute morgen so schön wie gestern abend? 7. Warum wollte er nicht lange hier bleiben? 8. Wer ist Wolfgang? 9. Was tat er, als der Professor aufstand? 10. Was tat er, nachdem er und sein Gast sich wieder gesetzt hatten? 11. Was kannte er gut? 12. Wissen Sie etwas von der Geschichte Schwabens? 13. Wie heißt Götz von Berlichingens Schloß? 14. Was kannte der Professor gut? 15. Warum hörte er hier in Weinsberg gern etwas über Götzens Leben? 16. Was will die Familie Schröder am Abend tun? 17. Was wird man sich da ansehen? 18. Wie gingen Wolfgang und sein Gast zum Hause zurück? 19. Wovon hat Wolfgang dem Professor erzählt? 20. Wer ist Hermann Hesse? 21. Wo stand das Frühstück, als sie ins Haus traten? 22. Wohin setzten sie sich? 23. Wo findet die Aufführung von „Götz von Berlichingen" statt? 24. Worüber freute sich die Familie Schröder? 25. Interessiert der Professor sich für die Aufführung? 26. Interessieren Sie sich für deutsche Literatur? 27. Haben Sie schon eine Freilichtaufführung gesehen?

B. *Answer, using the verbs in parentheses.*

1. Was tun Sie, nachdem Sie am Morgen aufgewacht sind? (*aufstehen, sich anziehen*) 2. Was tun Sie, wenn Sie essen wollen? (*sich setzen*) 3. Warum gehen Sie ins Theater? (*sich ansehen*) 4. Was tun Sie, wenn Sie dahin fahren wollen? (*einsteigen*) 5. Was tun Sie am Ende des Stückes? (*zurückfahren*) 6. Wo fahren Sie auf dem Wege zu Ihrem Haus? (*entlangfahren*) 7. Woran kommen Sie vorbei? (*vorbeikommen*) 8. Was tun Sie bald? (*ankommen*) 9. Was tun Sie, nachdem Sie bei Ihrem Hause angekommen sind? (*aussteigen*) 10. Interessieren Sie sich für das Theater? (*sich interessieren*) 11. Freuen Sie sich darüber, daß Sie ins Theater gehen konnten? (*sich freuen*) 12. Erinnern Sie sich noch gut an das Theaterstück? (*sich erinnern*)

C. *Use a relative pronoun in answering each of the following questions. Use also the preposition in parentheses when given.*

1. Was ist die „Weibertreu"? 2. Was ist „Götz von Berlichingen"? 3. Wer ist Friedrich Schiller? 4. Was ist ein Sommerhaus? (in) 5. Was ist ein Frühstückstisch? (an) 6. Was ist eine Wallfahrtskirche? (zu)

D. *Answer, using comparative or superlative forms wherever possible.*

1. Stehen Sie gern früh auf? 2. Was essen Sie lieber zum Frühstück, Rührei oder Bratkartoffeln? 3. Haben Sie Mathematik gern? 4. Haben Sie Mathematik lieber als Soziologie? 5. Was haben Sie am liebsten? 6. Ist Ihre Mutter so alt wie Ihr Vater? 7. Ist ein Dorf so groß wie eine Stadt? 8. Ist Ihr Haus so hoch wie eine Kirche? 9. Ist die Grammatik so interessant wie die Geschichten in unserem Buch?

E. *Write at least six sentences about the daily life of a student, using the following verbs in present tense.*

1. müssen 2. können 3. dürfen 4. sollen 5. mögen 6. wollen

F. *Change the sentences from E above first to past tense, then to present perfect.*

G. *Supply the definite article and nominative plural for the following nouns.*

Bank, Knie, Volk, Nachbar, Apfel, Aufführung, Ufer, Macht, Hut, Werk, Name, Spitze, Himmel, Lager, Postkarte, Wolf, Schloß, Soldat, Schiff, Flüßchen, Siedlung, Diener, Landschaft, Wiese, Pflicht.

H. *Write in German.*

1. I have often heard of the beautiful Austrian mountains and have (already) always wanted to see them. 2. I went to Austria, but I could not stay there very long. 3. A German friend was supposed to go with me, but he couldn't because he got sick. 4. I had already known him more than a year. 5. I knew that he wanted to visit Austria too. 6. When I arrived in Salzburg, I took a taxi and drove along a beautiful old street. 7. We drove past many interesting buildings. 8. Salzburg is one of the most famous cities in Austria. 9. (The) most people like (*use* **gern haben**) this city better than Goslar, because they can hear such good music here. 10. The operas are better here than in (the) most other Austrian cities. 11. I have always been interested in good music. 12. The mountains of Austria are higher and more beautiful than the hills around Goslar. 13. I was very glad when I finally saw them. 14. St. Wolfgang is one of the most interesting villages in Austria, and many people visit it every year. 15. One says that many miracles have taken place in the church there. 16. The village, which lies on the shore of the lake, is more than five hundred years old. 17. The name of the lake on which it lies is Lake Wolfgang. 18. A story that one often hears here is the legend of St. Wolfgang. 19. The old woman from whom we heard it was standing in front of the church

and selling postcards. 20. When we asked her to tell us of St. Wolfgang, she sat down and told us the whole story. 21. Wolfgang, who had been a bishop in Regensburg, went into the wilderness, where he later built a church. 22. The lay brother whom he had taken along soon left him. 23. Wolfgang had a heavy hatchet, which he threw from a high mountain, and it fell on the shore of the lake. 24. Here he built his church, and the devil, who had to help him, said, "Whoever comes into your church first is mine." 25. The church became a pilgrimage church, to which many people come every year. 26. The old woman who told the story remembered a miracle that had taken place there forty years ago.

IV. PATTERN DRILLS

(*Review III-A*)

1. *Answer the questions with* **Nein,** *but affirm in the present perfect tense with* **schon.** *Change all noun objects to pronouns. Example:* Erzählt er die Geschichte? Nein, er hat sie schon erzählt.

(1) Besucht er den Onkel bald?
(2) Übersetzt er die Geschichte bald?
(3) Verläßt er die Stadt bald?
(4) Erscheint er bald in der Universität?
(5) Erklärt sie es bald?
(6) Beschreibt er die Aufführung bald?

2. *Answer the following questions affirmatively, changing nouns to pronouns or to* **da-***compounds whenever possible. Example:* Erinnert sie sich an den Studenten? Ja, sie erinnert sich an ihn.

(1) Wird unsere Arbeit immer schwerer?
(2) Kommt unser Onkel eines Tages zurück?
(3) Geht er an der Universität vorbei?
(4) Hat sie sich für das neue Buch interessiert?
(5) Interessiert er sich für diesen Dichter?
(6) Wird es dem Kind gelingen, sich schnell anzuziehen?
(7) Ließ er das Werk beschreiben?

3. *Answer* **Nein** *to the questions, but affirm in the future tense with* **bald.**
   Example: Ist er schon ausgestiegen? Nein, aber er wird bald aussteigen.

   (1) Ist er schon aufgewacht?
   (2) Hat er sich schon angezogen?
   (3) Hat er sich schon umgewandt?
   (4) Ist er schon aufgestanden?
   (5) Ist er schon hinuntergefahren?
   (6) Hat die Aufführung schon stattgefunden?
   (7) Ist er schon angekommen?
   (8) Ist er schon vorbeigekommen?

4. *Answer the questions negatively in the present perfect tense with* **noch nicht,** *but affirm in the present tense with* **gleich.** *Example:* Ist er schon eingestiegen? Nein, er ist noch nicht eingestiegen, aber er steigt gleich ein.

   (1) Ist er schon aufgewacht?
   (2) Hat er sich schon angezogen?
   (3) Hat er sich schon umgewandt?
   (4) Ist er schon aufgestanden?
   (5) Ist er schon ausgestiegen?
   (6) Hat es schon stattgefunden?
   (7) Ist er schon angekommen?
   (8) Ist er schon vorbeigekommen?

5. *Change the following sentences to the plural. Example:* **Mein Bruder ist** hier. Meine Brüder sind hier.

   (1) Unsere Bank ist grün.
   (2) Dieses Schloß ist berühmt.
   (3) Die Aufführung ist gut.
   (4) Der Apfel ist rot.
   (5) Ihr Hut ist grau.
   (6) Der Name ist berühmt.
   (7) Diese Stange ist lang.
   (8) Der Soldat ist hier.

6. *Answer the following questions affirmatively by beginning with* **Ja, dies ist** (*or* **sind**) *and using a relative clause after the noun. Example:* War dieser Mann hier? Ja, dies ist der Mann, der hier war.

(1) War dieser Student hier?
(2) War dieser Professor hier?
(3) War diese Frau hier?
(4) Stand diese Bank hier?
(5) War dieses Mädchen hier?
(6) War dieses Kind hier?
(7) Waren diese Kinder hier?
(8) Waren diese Männer hier?

7. *Answer the following questions affirmatively by beginning with* **Ja, dies ist** (*or* **sind**) *and using a relative clause in first person singular after the noun. Example:* Kannten Sie diesen Mann gut? Ja, dies ist der Mann, den ich gut kannte.

(1) Kannten Sie diesen Studenten gut?
(2) Kannten Sie diesen Dichter gut?
(3) Kennen Sie diese Burg gut?
(4) Kannten Sie dieses Mädchen gut?
(5) Kannten Sie diese Frau gut?
(6) Kennen Sie dieses Schloß gut?
(7) Kannten Sie diese Leute gut?
(8) Kennen Sie diese Dramen gut?

8. *Change the following sentences to the plural. Example:* Mein Nachbar ist freundlich. Meine Nachbarn sind freundlich.

(1) Das Volk ist frei.
(2) Dieses Werk ist gut.
(3) Mein Stuhl ist gelb.
(4) Das Schiff ist klein.
(5) Das Ufer ist hoch.
(6) Die Geschichte ist interessant.
(7) Seine Schwester ist hier.

(*Review III-B*)

1. *Answer the questions with* **Ja** *but negate in the past tense, beginning with* **gestern abend.** *Example:* Darf er es heute abend tun? Ja, aber gestern abend durfte er es nicht tun.

(1) Will er heute abend gehen?
(2) Soll er heute abend kommen?
(3) Darf er heute abend bleiben?
(4) Mag er es heute abend essen?
(5) Kann er heute abend arbeiten?
(6) Muß er es heute abend tun?
(7) Weiß er es heute abend?

2. *Answer the questions with* **Ich weiß nicht,**... *retaining the tense of the question. Example:* Wann kam er an? Ich weiß nicht, wann er ankam.

(1) Wann stand er auf?
(2) Wann ist sie aufgestanden?
(3) Wo findet die Aufführung statt?
(4) Wie zieht sie sich heute an?
(5) Wie hat sie sich gestern angezogen?
(6) Wie wird sie sich morgen anziehen?
(7) Wann wachen die Kinder auf?
(8) Wann kam er an der Kirche vorbei?

3. *Answer the questions in the first person singular and add a clause in the same tense with* **mein Freund** *as subject. Example:* Wenden Sie sich um? Ja, ich wende mich um, und mein Freund wendet sich auch um.

(1) Drückten Sie sich richtig aus?
(2) Setzen Sie sich an den Tisch?
(3) Erinnern Sie sich daran?
(4) Haben Sie sich darüber gefreut?
(5) Interessieren Sie sich für dieses Buch?
(6) Haben Sie sich dafür interessiert?
(7) Haben Sie sich ein Haus gebaut?
(8) Haben Sie sich das Bild angesehen?

4. *Answer the questions with* **Nein** *and add a clause, using the comparative of the adjective in the question.* Example: Ist das Haus so groß wie die Kirche? Nein, die Kirche ist größer als das Haus.

(1) Ist das Haus so hoch wie die Kirche?
(2) Ist unser Haus so alt wie die Burg?
(3) Ist das Feld so dunkel wie der Wald?
(4) Ist die Grammatik so interessant wie ein Drama?
(5) Ist eine Minute so lang wie eine Stunde?
(6) Ist die Nacht so warm wie der Tag?
(7) Ist die Mutter so jung wie das Kind?
(8) Ist die Schweiz so groß wie Österreich?

5. *Answer the questions with* **Ja,** *but add a clause with* **unser Nachbar** *as subject using the superlative of the adjective followed by* **von allen.** Example: Haben Sie ein gutes Haus? Ja, aber unser Nachbar hat das beste von allen.

(1) Kennen Sie einen schönen See?
(2) Haben Sie ein modernes Haus?
(3) Kennen Sie ein altes Schloß?
(4) Haben Sie einen hohen Berg gesehen?
(5) Haben Sie eine interessante Aufführung gesehen?
(6) Haben Sie gute Äpfel?
(7) Trinken Sie viel Bier?
(8) Haben Sie viele Freunde?

6. *Answer the questions affirmatively, by beginning with* **Ja, dies ist** *(or* **sind**) *and using a relative clause after the noun.* Example: Wartet er an diesem Weg? Ja, dies ist der Weg, an dem er wartet.

(1) Saß er unter diesem Baum?
(2) Saß er an diesem Tisch?
(3) Wohnte er in diesem Haus?
(4) Stand er vor diesem Gebäude?
(5) Wartet er an dieser Straße?
(6) Saß er auf dieser Bank?
(7) Arbeitet er mit diesen Männern?
(8) Blieb er lange bei diesen Leuten?

7. *Answer the following questions negatively, changing nouns to pronouns or to* da-*compounds whenever possible.* *Example:* Hat das Kind diese Geschichte gern? Nein, es hat sie nicht gern.

(1) Kämpfen die Soldaten gern?
(2) Stehen die Studenten gern früh auf?
(3) Gehen die Leute an dem Rathaus vorbei?
(4) Ist die Studentin an dem Haus vorbeigegangen?
(5) Konnte das Kind sich an die Geschichte erinnern?
(6) Wollten die Freunde gestern abend zurückkommen?
(7) Gelang es unseren Freunden, bald zurückzukommen?
(8) Sitzt dein Freund gern auf dieser Bank?
(9) Lassen die Leute eine Kirche bauen?

CHAPTER 18

Vocabulary

der **Haß** hate, hatred
der **Köcher, —** quiver
der **Pfeil, –e** arrow
der **Sturm, ⁔e** storm
der **Vierwaldstättersee** Lake of Lucerne

das **Herz, –ens, –en** heart

beschließen, beschloß, beschlossen decide
erschießen, erschoß, erschossen shoot to death
fliehen, floh, ist geflohen flee
kämpfen fight
springen, sprang, ist gesprungen jump, spring
zwingen, zwang, gezwungen force

beide both

IDIOM
wenn ich ihn getroffen hätte if I had hit him

158

Passive Voice

I. READING

„Jetzt beugte Tell das Knie vor dem tyrannischen Landvogt. Aber Geßler, dessen Herz voll Haß gegen Tell und die Schweizer war, sagte: ‚Wenn du nicht schießt, wirst du mit deinem Sohn getötet. Ihr werdet beide erschossen werden.' Also wurde Tell gezwungen, auf sein eigenes Kind zu schießen. Aber bevor er schoß, nahm er einen zweiten Pfeil aus seinem Köcher. Es gelang ihm, den Apfel vom Kopfe seines Sohnes zu schießen, und alle Leute, vor denen es geschah, waren glücklich. Geßler aber sagte: ‚Tell, was wolltest du mit dem zweiten Pfeil?' Und Tell antwortete: ‚Herr Landvogt, weil ich gezwungen worden bin, auf mein eigenes Kind zu schießen, habe ich diesen Pfeil aus dem Köcher genommen, um dich damit zu erschießen, wenn ich meinen Sohn getroffen hätte.' Jetzt wurde Tell wieder von den Soldaten ergriffen und auf Geßlers Schiff gebracht. Während sie über den Vierwaldstättersee fuhren, kam ein Sturm, bei dem es Tell gelang, vom Schiff zu springen und zu fliehen. Als dann später Geßler sein Schiff verlassen hatte, fand Tell ihn auf einem engen Weg und schoß ihn durchs Herz.

Nachdem all dies dem Schweizer Volk bekannt gemacht worden war, beschloß es, sofort gegen Österreich zu kämpfen, und sehr bald gewann es seine Freiheit."

II. GRAMMAR

1. In the passive voice the subject is acted upon: *The man was bitten by a dog.*

2. The passive is formed with the auxiliary **werden** and the past participle of the verb concerned. In the compound tenses the prefix **ge-** is dropped from the past participle of **werden.**

PASSIVE INF.	gesehen werden	to be seen
PRES.	ich werde gesehen	I am seen
PAST	ich wurde gesehen	I was seen
PRES. PERF.	ich bin gesehen worden	I have been seen
PLUPERF.	ich war gesehen worden	I had been seen
FUT.	ich werde gesehen werden	I shall be seen
FUT. PERF.	ich werde gesehen worden sein	I shall have been seen

3. English *by* in a passive sentence is expressed by German **von.**
But if it implies *by means of*, **durch** is generally used.

Geßler wurde **von** Tell getötet.	Geßler was killed by Tell.
Er wurde **durch** einen Pfeil getö-tet.	He was killed by an arrow.

4. Verbs taking the dative retain it in the passive.

Mir wird nie geholfen.   I am never helped.

5. The passive is less frequently used in German than in English.
Other constructions are often substituted, the most common being
with **man.**

Das tut man einfach nicht.	That simply isn't done.
Man sagt	It is said . . . .

6. The passive is often used impersonally.

Es wurde die ganze Nacht getanzt.   There was dancing all night.

III. EXERCISES

A. *Give the following verbs in the passive, third person singular and plural,
present, past, present perfect, and future.*

1. zwingen 2. fragen 3. töten 4. finden 5. halten 6. verlassen
7. nehmen

B. *Change the following sentences into the passive.*

1. Österreich hatte die Schweiz lange unterdrückt. 2. Der Mann
hat den Hut auf der Stange gesehen. 3. Ein Soldat wird diesen Mann
ergreifen. 4. Ein guter Schweizer erschoß den tyrannischen Landvogt.
5. Noch heute erzählen die Leute diese Geschichte.

C. *Using the following groups of words, form short sentences in the passive,
first in the present, then in the past and present perfect.*

1. Tell, Soldaten, ergreifen. 2. Geßler, Tell, erschießen. 3. Drama,
Dichter, schreiben.   4. Die Schweiz, Österreich, unterdrücken.
5. Kampf, Schiller, beschreiben. 6. Kirche, Leute, besuchen. 7. Geschichte, ich, übersetzen. 8. Geschichte, er, erklären.

D. *Write in German.*

1. It is said that a pact was made between Faust and the devil.

2. The devil had been seen by Faust at a crossroad. 3. Faust was forced to sign the pact with his own blood. 4. He was killed at midnight. 5. That night is very well described by the poet. 6. This story has been told us by our professor. 7. It will be told by many people after us. 8. Many old legends have been found in the small villages of Germany.

IV. PATTERN DRILLS

1. *Change the sentences from present to past.* *Example:* Der Kampf wird von einem Dichter beschrieben. Der Kampf wurde von einem Dichter beschrieben.

(1) Der Mann wird von den Soldaten ergriffen.

(2) Dann wird er von ihnen erschossen.

(3) Die Soldaten werden gezwungen, das zu tun.

(4) Es wird beschlossen, die Stadt zu zerstören.

(5) Im Krieg werden viele Städte zerstört.

(6) Viele Menschen werden getötet.

(7) Bald wird die Stadt wieder aufgebaut.

(8) Der Kampf wird von einem Dichter beschrieben.

2. *Change the sentences from the future to the pluperfect.* *Example:* Die Burg wird von dem Kaiser zerstört werden. Die Burg war von dem Kaiser zerstört worden.

(1) Das Schloß wird nicht von ihm zerstört werden.

(2) Der Soldat wird gezwungen werden, das zu tun.

(3) Ein gutes Drama wird von dem Dichter geschrieben werden.

(4) Diese Brücke wird von klugen Männern gebaut werden.

(5) Das Drama wird von dem Professor erklärt werden.

(6) Das Volk wird lange von dem Grafen unterdrückt werden.

(7) Wird die Geschichte von ihm erklärt werden?

(8) Wird der Pakt von Faust unterschrieben werden?

3. *Answer the questions in the passive, present tense.* *Example:* Bringt man das Gepäck? Ja, das Gepäck wird gebracht.

(1) Baut man hier ein Haus?

(2) Ergreift man diesen Mann gleich?

(3) Bringt man beide Kinder ins Haus?

(4) Unterdrückt man dieses Volk?

(5) Ruft man die Leute zurück?

(6) Verkauft man hier Postkarten?
(7) Ißt man gut in dieser Gastwirtschaft?
(8) Hilft man ihm oft?

4. *Change the following sentences from the active to the passive. Example:*
Ein Mann tötete den Wolf.   Der Wolf wurde von einem Mann getötet.

(1) Ein Dichter schrieb dieses Drama.
(2) Ein Student rief mich zurück.
(3) Der Gepäckträger brachte unser Gepäck.
(4) Die beiden Männer riefen ihn zurück.
(5) Wilhelm Tell erschoß den Landvogt.
(6) Er führte die beiden Frauen zurück.
(7) Sie sahen uns nicht.
(8) Sie zwang ihn, es zu tun.

5. *Answer the questions in the passive, in present perfect tense. Examples:*
Hat man ihn hereingeführt? Ja, er ist hereingeführt worden. Hat die Frau ihn hereingeführt? Ja, er ist von der Frau hereingeführt worden.

(1) Hat man es schon gebracht?
(2) Hat der Gepäckträger es schon gebracht?
(3) Hat man ihn gleich gerufen?
(4) Hat die Frau ihn gleich gerufen?
(5) Hat man das Bett schon gemacht?
(6) Hat sie das Bett schon gemacht?
(7) Hat man seine Worte verstanden?
(8) Haben die Leute seine Worte verstanden?

6. *Answer the following questions with* **Ich weiß nicht, ob** .... *Example:*
Ist unser Gepäck schon hinaufgebracht worden? Ich weiß nicht, ob unser Gepäck schon hinaufgebracht worden ist.

(1) Wird das Haus schnell gebaut?
(2) Werden alle Leute gezwungen zu arbeiten?
(3) Wurde die ganze Burg zerstört?
(4) Wurde der Pakt von Faust unterschrieben?
(5) Ist alles mitgenommen worden?
(6) Sind seine Worte richtig verstanden worden?
(7) Kann dieses Haus schnell gebaut werden?
(8) Soll der Soldat getötet werden?

7. *Answer the following questions affirmatively in the active voice, with* **man**
   as subject, and retaining the tense used in the question. *Example:* Ist der
   Turm schon gebaut worden? Ja, man hat den Turm schon gebaut.

   (1) Wird das oft gesagt?
   (2) Werden hier Postkarten verkauft?
   (3) Wurde sein Name genannt?
   (4) Wurde Tell gezwungen zu schießen?
   (5) Ist er hier oft gesehen worden?
   (6) Ist es schon beschlossen worden?
   (7) War der Mann schon erschossen worden?
   (8) Waren seine Worte verstanden worden?
   (9) Wird ihm geholfen werden?
   (10) Wird das Haus bald verkauft werden?

CHAPTER 19

Vocabulary

der **Brief,** –e   letter
der **Geburtstag,** –e   birthday
der **Monat,** –e   month
der **Verlag,** –e   publishing house

das **Datum, Daten**   date
das **Geschäft,** –e   business
das **Lexikon, Lexika**   dictionary
das **Mal,** –e   time

die **Anfrage,** –n   inquiry
die **Hoffnung,** –en   hope
die **Liste,** –n   list
die **Post**   mail

bestellen   order
drucken   print
ehren   honor
ein·treffen, traf ein, ist eingetroffen (trifft ein)   arrive
erwähnen   mention
fehlen   lack, miss
mit·teilen   inform, communicate
orientieren   orient
sterben, starb, ist gestorben (stirbt)   die
verbleiben, verblieb, ist verblieben   remain

beiliegend   enclosed
hochachtungsvoll   respectfully
inzwischen   meanwhile
leider   unfortunately
morgen   tomorrow
ost-   east

IDIOMS

Ende März   at the end of March
zu haben   to be had
zu hoffen   to be hoped
zum ersten Mal   for the first time

164

Future Perfect · Ordinal Numerals · Present Participle · Extended Attribute Construction

I. READING

Als der Professor heute ins Zimmer trat, sahen die Studenten, daß er einen Brief in der Hand hielt. Er setzte sich an seinen Tisch und sagte: „Heute möchte ich Ihnen einen Brief zeigen, der mit der Morgenpost gekommen ist. Es ist ein Geschäftsbrief aus Deutschland."

Frankfurt a. Main
den 22. März 1964

Sehr geehrter Herr Professor Doktor Huber!

Auf Ihre Anfrage vom 16. des Monats muß ich Ihnen leider mitteilen, daß das von Ihnen bestellte Buch nicht mehr zu haben ist. Bis zum nächsten Oktober wird man es wahrscheinlich neu gedruckt haben. Auch die immer noch fehlenden Bücher aus Ostdeutschland werden dann wohl bei uns angekommen sein. Die beiliegende Liste wird Sie darüber orientieren.

Der schon früher erwähnte Verlag in Leipzig hat inzwischen auch von sich hören lassen, und es ist zu hoffen, daß das im Jahre 1961 zum ersten Mal erschienene Lexikon Ende März bei uns eingetroffen sein wird.

In der Hoffnung, Ihnen weiter dienen zu können,
verbleibe ich

Hochachtungsvoll
Ihr
Dr. Egon Fischer

II. GRAMMAR

1. The future perfect tense is formed with the present of the auxiliary **werden** plus the perfect infinitive of the verb concerned. (The

165

perfect infinitive consists of the past participle of the verb concerned and the infinitive of the auxiliary **haben** or **sein**.)

ich werde gesehen haben	I shall have seen
du wirst gesehen haben	you will have seen
er wird gesehen haben	he will have seen
etc.	etc.
ich werde gekommen sein	I shall have come
du wirst gekommen sein	you will have come
er wird gekommen sein	he will have come
etc.	etc.

2. Uses of the future perfect:

In addition to expressing future perfect time, the future perfect
often expresses probability in past time.

Er wird wohl zu Hause **gewesen sein.**   He was probably at home.

3. The *ordinal numerals* (1st, 2nd, 3rd, etc.) are formed from 2 to 19
by adding –t to the cardinal numeral. From 20 upwards –st is
added. While the cardinals are uninflected, the ordinals are declined like attributive adjectives.

    der zwei**te** Tag; der zweiundzwanzig**ste** Tag; ihr vier**tes** Kind

Three ordinals are irregular: **erst-** *first,* **dritt-** *third,* **acht-** *eighth;*
siebent- is often contracted to **siebt-**.

4. Dates

am 24. (vierundzwanzigsten) Mai	on the 24th of May.
Heute ist der 3. (dritte) Juli.	Today is the 3rd of July.
New York, den 7. Oktober 1950	New York, October 7, 1950 (*at the head of a letter*)
Columbus kam im Jahre 1492 (vierzehnhundertzweiundneunzig) nach Amerika.	Columbus came to America in 1492.

See Appendix, p. 202, for lists of days of the week and the months.

5. The present participle of the verb is formed by adding –**d** to the
infinitive. Its chief use is as an adjective, and it is then declined
like an adjective: **ein liebendes Kind** *a loving child.* It is almost
never used as a verb in German. In most cases where English
uses a verb form in *-ing*, German uses a totally different construction, for example: *he is working* **er arbeitet;** *without seeing him* **ohne
ihn zu sehen.**

6. Extended attribute construction

German, much more than English, tends to place all modifiers of a noun in front of that noun, especially if the chief modifier is a present or past participle. To render such constructions into English, we ordinarily use a relative clause.

die immer noch **fehlenden** Bücher	the books which are still missing
das im Jahre 1961 zum ersten Mal **erschienene** Lexikon	the dictionary which appeared for the first time in 1961

III. EXERCISES

A. *Answer orally.*

1. An welchem Datum wurde der Brief an Professor Huber geschrieben? 2. Wann werden die noch fehlenden Bücher wohl angekommen sein? 3. Wann wird das 1961 erschienene Lexikon wohl eingetroffen sein? 4. Welcher Tag ist heute? 5. Wann sind Sie geboren? 6. In welchem Jahr werden Sie wahrscheinlich die Universität verlassen? 7. Werden Sie dann viel gelernt haben? 8. Wann kam Columbus nach Amerika? 9. An welchem Datum ist Neujahr? 10. An welchem Datum wurde George Washington geboren?

B. *Give the third person singular and plural in future and future perfect.*

1. sehen 2. essen 3. lesen 4. lassen 5. denken 6. verstehen 7. übersetzen 8. ansehen 9. einsteigen 10. bringen

C. *Restate first in future, then in future perfect.*

1. Am 3. Februar waren sie schon zwei Tage hier. 2. Ich stehe um halb acht auf. 3. Mein Vater erschien um acht Uhr. 4. Vielleicht kommt er schon morgen. 5. Er nimmt die Kinder wohl mit. 6. Die Aufführung findet wohl bald statt.

D. *Read aloud.*

1. Der 1. Weltkrieg begann im Jahre 1914 und endete im Jahre 1918. 2. Der Dreißigjährige Krieg begann im Jahre 1618 und endete im Jahre 1648. 3. Was geschah im Jahre 1776? 4. Mein Geburtstag ist am 23. April. 5. Goethe wurde am 28. August 1749 geboren und starb am 22. März 1832. 6. Von 1962 bis 1964 waren wir in Deutschland.

E. *Write in German.*

1. Schiller was born in 1759. 2. When we come back from Germany, we will have seen many interesting things. 3. We will also have heard much German. 4. Before the tenth of June, I will have read all these books. 5. The nineteenth of March is a Tuesday, and the twentieth is a Wednesday.

F. *Translate the letter in* I *into English.*

IV. PATTERN DRILLS

1. *Change the following sentences from the future to the future perfect. Example:* Er wird ihn wohl kennen. Er wird ihn wohl gekannt haben.

(1) Sie wird ihn oft sehen.
(2) Wir werden es bald tun.
(3) Er wird es wohl erwähnen.
(4) Dann wird er es ihnen wohl mitteilen.
(5) Inzwischen werden wir das Buch bestellen.
(6) Die beiliegende Liste wird wohl sehr lang sein.
(7) Er wird ihn wohl darüber orientieren.
(8) Man wird ihn wohl zwingen zu schießen.

2. *Answer each question on the basis of the preceding statement. Example:* Heute ist der 1. April. Was ist morgen? Morgen ist der 2. April.

(1) Heute ist der 2. März. Was ist morgen?
(2) Heute ist der 8. Dezember. Was ist morgen?
(3) Heute ist der 4. September. Was ist morgen?
(4) Heute ist der 23. Juni. Was ist morgen?
(5) Heute ist der 27. Februar. Was ist morgen?
(6) Heute ist der 30. Januar. Was ist morgen?
(7) Heute ist der 19. Mai. Was ist morgen?
(8) Heute ist der 11. November. Was ist morgen?
(9) Heute ist der 31. August. Was ist morgen?
(10) Heute ist der 31. Juli. Was ist morgen?
(11) Heute ist der 31. Oktober. Was ist morgen?

3. *Answer the questions affirmatively in the future perfect, using* **wohl.** *Example:* Hat er es getan? Ja, er wird es wohl getan haben.

(1) Hat sie es erwähnt?

(2) Ist es ihm gelungen?

(3) Hat er heute geschrieben?

(4) Ist er aus der Stadt geflohen?

(5) Ist er gestern angekommen?

(6) Haben die Frauen lange gewartet?

(7) Haben die Männer den Kampf gewonnen?

(8) Hat er ihn im Geschäft getroffen?

(9) Hat er es ihr mitgeteilt?

(10) Hat die Aufführung stattgefunden?

4. *Answer each question on the basis of the preceding statement. Example:* Heute ist der 4. Juli. Was war gestern? Gestern war der 3. Juli.

(1) Heute ist der 2. Dezember. Was war gestern?

(2) Heute ist der 24. Mai. Was war gestern?

(3) Heute ist der 20. Juni. Was war gestern?

(4) Heute ist der 18. Februar. Was war gestern?

(5) Heute ist der 2. September. Was war gestern?

(6) Heute ist der 7. Januar. Was war gestern?

(7) Heute ist der 19. März. Was war gestern?

(8) Heute ist der 3. August. Was war gestern?

(9) Heute ist der 11. November. Was war gestern?

(10) Heute ist der 13. Oktober. Was war gestern?

5. *Answer each question on the basis of the preceding statement. Example:* Dieses Buch ist leider nicht mehr zu haben. Was ist leider nicht mehr zu haben? Dieses Buch ist leider nicht mehr zu haben.

(1) Wir lesen diese Geschichte heute zum ersten Mal. Wann lesen wir diese Geschichte zum ersten Mal?

(2) Er hörte gestern zum ersten Mal von dem Verlag. Wann hörte er zum ersten Mal von dem Verlag?

(3) Das Lexikon ist immer noch zu haben. Was ist immer noch zu haben?

(4) Gutes Bier ist jetzt leider nicht zu haben. Was ist jetzt leider nicht zu haben?

(5) Guter Wein ist leider noch nicht zu haben. Was ist leider noch nicht zu haben?

(6) Es ist zu hoffen, daß der Brief bald eintrifft. Was ist zu hoffen?

(7) Es ist zu hoffen, daß das Werk bald gedruckt wird. Was ist zu hoffen?

6. *Answer each question on the basis of the preceding statement. Example:* Einstein starb im Jahre 1955. Wann starb er? Er starb im Jahre 1955.

(1) Goethe wurde im Jahre 1749 geboren. Wann wurde Goethe geboren?

(2) Er starb im Jahre 1832. Wann starb er?

(3) Schiller wurde im Jahre 1759 geboren. Wann wurde Schiller geboren?

(4) Er starb im Jahre 1805. Wann starb er?

(5) Der erste Weltkrieg begann im Jahre 1914. Wann begann der erste Weltkrieg?

(6) Er endete im Jahre 1918. Wann endete er?

(7) Annas Geburtstag ist am 27. Juli. Wann ist ihr Geburtstag?

(8) Mein Freund war von 1962 bis 1964 in Deutschland. Wann war er in Deutschland?

CHAPTER 20

The Tenses of the Subjunctive

I. GRAMMAR

While the indicative is used to state facts, the subjunctive is used to express uncertainty or doubt of various kinds and degrees. The exact uses of the subjunctive are given in Chapters 21 and 22.

1. Subjunctive tenses:

While the indicative has six tenses, the subjunctive has only four, but each of the four tenses has two forms, which we shall call *Subjunctive I* and *Subjunctive II*.

INDICATIVE	SUBJUNCTIVE
Present	Present I and II
Past	
Present Perfect }	Past I and II
Pluperfect	
Future	Future I and II
Future Perfect	Future Perfect I and II

2. Formation of tenses:

There is only one set of endings in the subjunctive:

–e	–en
–est	–et
–e	–en

The only irregularities in endings occur in the Present Subjunctive I of **sein,** as will be seen in the conjugations below.

   a. To form *Present Subjunctive I,* add subjunctive endings to the infinitive stem.

171

b. To form Present Subjunctive II

    (1) of *regular weak* verbs, add subjunctive endings to the stem of the past. (These forms are exactly like the past indicative).

    (2) of *strong verbs* and weak verbs with *irregular principal parts*, add subjunctive endings to the stem of the past and umlaut the vowel (where possible).

c. The *compound tenses* of the subjunctive are formed like the corresponding tenses of the indicative, except that the *auxiliary* is in the subjunctive, either I or II, as the case may be.

d. The subjunctive of the *passive* is formed by putting the passive *auxiliary* **werden** in the subjunctive.

(For complete subjunctive paradigms see Appendix, pp. 209–216.)

PRESENT SUBJUNCTIVE I

ich	sage	habe	sei	werde	komme	wisse	dürfe
du	sagest	habest	seiest	werdest	kommest	wissest	dürfest
er	sage	habe	sei	werde	komme	wisse	dürfe
wir	sagen	haben	seien	werden	kommen	wissen	dürfen
ihr	saget	habet	seiet	werdet	kommet	wisset	dürfet
sie	sagen	haben	seien	werden	kommen	wissen	dürfen

PRESENT SUBJUNCTIVE II

ich	sagte	hätte	wäre	würde	käme	wüßte	dürfte
du	sagtest	hättest	wärest	würdest	kämest	wüßtest	dürftest
er	sagte	hätte	wäre	würde	käme	wüßte	dürfte
wir	sagten	hätten	wären	würden	kämen	wüßten	dürften
ihr	sagtet	hättet	wäret	würdet	kämet	wüßtet	dürftet
sie	sagten	hätten	wären	würden	kämen	wüßten	dürften

PAST SUBJUNCTIVE I

ich habe gesagt sei gekommen
du habest gesagt seiest gekommen
etc.   etc.

PAST SUBJUNCTIVE II

hätte gesagt wäre gekommen
hättest gesagt wärest gekommen
etc.   etc.

FUTURE SUBJUNCTIVE I

ich werde sagen werde kommen
du werdest sagen werdest kommen
etc.   etc.

FUTURE SUBJUNCTIVE II

würde sagen würde kommen
würdest sagen würdest kommen
etc.   etc.

FUTURE PERFECT SUBJUNCTIVE I

ich werde gesagt haben
du werdest gesagt haben
etc.
ich werde gekommen sein
du werdest gekommen sein
etc.

FUTURE PERFECT SUBJUNCTIVE II

würde gesagt haben
würdest gesagt haben
etc.
würde gekommen sein
würdest gekommen sein
etc.

PASSIVE SUBJUNCTIVE

	I	II
PRES.	er werde gesehen	würde gesehen
PAST	er sei gesehen worden	wäre gesehen worden
FUT.	er werde gesehen werden	würde gesehen werden
FUT. PERF.	er werde gesehen worden sein	würde gesehen worden sein

4. The following verbs are irregular in *Present Subjunctive II:*

INFINITIVE	PRES. SUBJ. II	INFINITIVE	PRES. SUBJ. II
brennen	brennte	wenden	wendete
kennen	kennte	helfen	hülfe
nennen	nennte	sterben	stürbe
rennen	rennte	werfen	würfe
senden	sendete	stehen	stünde *or* stände

Note that, according to *b*(2) above, only those modals that have an Umlaut in the infinitive take the Umlaut in *Present Subjunctive II.*

II. EXERCISES

A. *Conjugate in all subjunctive tenses I and II.*

1. können 2. fragen 3. kommen

B. *Give the third person singular and plural of all subjunctive tenses I and II.*

1. bringen 2. wissen 3. mögen 4. stehen 5. bleiben 6. ziehen 7. treffen 8. essen 9. geben 10. sitzen 11. liegen 12. fahren 13. tragen 14. denken 15. wollen 16. schlafen 17. lassen 18. gehen

C. *Change the verbs in each of the following sentences to the corresponding tenses in the subjunctive I and II. Examples:*

Present. Er kommt heute. Er komme heute. Er käme heute.

Past. Er kam heute. Er sei heute gekommen. Er wäre heute gekommen.

Perfect. Er ist heute gekommen. Er sei heute gekommen. Er wäre heute gekommen.

Pluperfect. Er war heute gekommen. Er sei heute gekommen. Er wäre heute gekommen.

Future. Er wird heute kommen. Er werde heute kommen. Er würde heute kommen.

Future perfect. Er wird heute gekommen sein. Er werde heute gekommen sein. Er würde heute gekommen sein.

1. Die Frau ist hier. 2. Sie war gestern nicht hier. 3. Sie wird morgen kommen. 4. Sie wird am Mittwoch wohl eingetroffen sein. 5. Er wohnt in Berlin. 6. Er wohnte nicht in Hamburg. 7. Er wird in Berlin wohnen. 8. Sie wird wohl nicht in Berlin gewohnt haben. 9. Er hat es gesehen. 10. Sie wird hier bleiben. 11. Die Frau sieht ihr Kind. 12. Der Mann kann nicht arbeiten. 13. Er wollte schlafen. 14. Er hatte es getan. 15. Der Student nahm sein Buch mit. 16. Wir haben unsere Bücher auch mitgebracht. 17. Wir werden sie nicht alle mitgebracht haben. 18. Sie wird es tun müssen. 19. Er bringt es mir. 20. Sie weiß es nicht. 21. Er hat keinen Bruder. 22. Die Kinder dürfen heute nicht spielen. 23. Sie sollen arbeiten. 24. Er freut sich. 25. Er hat seinen Freund gesehen. 26. Die Mutter ruft die Kinder. 27. Sie konnte sie nicht finden. 28. Er hat sein Haus verlassen. 29. Er wird sein Geld wohl nicht gefunden haben. 30. Er versteht es nicht. 31. Sie werden wohl mit ihm gesprochen haben. 32. Der Vater liebt sein Kind. 33. Wir stiegen ins Schiff ein. 34. Sie denkt nicht viel. 35. Mein Onkel erzählte mir die Geschichte. 36. Wir assen unser Brot. 37. Ihr Kind folgt ihr. 38. Wir werden bald alles gelernt haben.

IV. PATTERN DRILLS

1. *Change the following indicative forms to the Present Subjunctive II.*

(1) er ist
(2) wir haben
(3) du wirst
(4) sie haben
(5) ich bin
(6) ihr habt
(7) er wird
(8) wir sind
(9) du hast
(10) sie sind
(11) ich werde
(12) ihr seid
(13) er hat
(14) wir werden
(15) du bist
(16) sie werden

2. *In the following sentences, change the verb to Present Subjunctive I.* *Example:*
Die Frau hat zwei Söhne. Die Frau habe zwei Söhne.

(1) Seine Mutter ist nicht hier.
(2) Der Student arbeitet nicht genug.
(3) Der Verlag druckt diese Bücher.
(4) Er trifft sie vielleicht.
(5) Er will nicht lange hier bleiben.
(6) Er spricht mit beiden Freunden.
(7) Sie kann nicht genug arbeiten.
(8) Er muß heute abend gehen.

3. *In the following sentences, change the verb to Present Subjunctive II.*
Example: Er erzählt eine gute Geschichte. Er erzählte eine gute
Geschichte.

(1) Dieser Student arbeitet nicht genug.
(2) Vielleicht druckt der Verlag das Lexikon.
(3) Du teilst es ihm mit.
(4) Wir bestellen das neue Lexikon.
(5) Das Volk kämpft um seine Freiheit.
(6) Das junge Mädchen drückt sich nicht richtig aus.
(7) Junge Mädchen interessieren sich nicht dafür.
(8) Sie setzt sich auf diesen Stuhl.

4. *Change the following sentences to Present Subjunctive II.* *Example:* Er
spricht mit ihr. Er spräche mit ihr.

(1) Wir treffen ihn.
(2) Er kommt heute.
(3) Sie findet es.
(4) Er tut es nicht.
(5) Ich spreche mit ihm.
(6) Sie sieht ihn nicht.
(7) Ich fahre mit ihm.
(8) Er fällt oft hin.
(9) Ich bitte ihn darum.
(10) Er schreibt gut.
(11) Sie nimmt es nicht.
(12) Er läßt mich gehen.
(13) Wir bleiben da.
(14) Wir gehen dahin.

5. *Change the following indicative forms to the Present Subjunctive II. Example:* ich weiß — ich wüßte.

(1) er muß
(2) wir sollen
(3) du darfst
(4) er weiß
(5) sie mögen
(6) ich will
(7) er kann
(8) wir mögen
(9) du sollst
(10) wir wissen
(11) sie können
(12) ich darf
(13) wir müssen
(14) ich kann
(15) ihr wollt
(16) er soll

6. *Change the following sentences first to Past Subjunctive I, then to Past Subjunctive II. Example:* Er bat mich darum. Er habe mich darum gebeten. Er hätte mich darum gebeten.

(1) Sie brachte mir einen Apfel.
(2) Er konnte nicht kommen.
(3) Er durfte nicht bleiben.
(4) Das Mädchen sprach mit ihr.
(5) Sie blieb nicht lange hier.
(6) Er lief aus dem Haus.
(7) Sie verließ das Haus.
(8) Seine Mutter ging mit ihm.

7. *Change the following sentences first to Future Subjunctive I, then to Future Subjunctive II. Example:* Man wird es wohl mitnehmen. Man werde es wohl mitnehmen. Man würde es wohl mitnehmen.

(1) Er wird wohl nicht genug essen.
(2) Du wirst es mir mitteilen.
(3) Er wird ihn wohl treffen.
(4) Sein Sohn wird das Spiel wohl gewinnen.
(5) Man wird das Buch neu drucken.
(6) Er wird sich die alte Burg ansehen.
(7) Vielleicht wird er es behalten.

8. *Change to Future Perfect Subjunctive II. Example:* Er wird es ihr gesagt haben. Er würde es ihr gesagt haben.

(1) Er wird das Schloß gesehen haben.
(2) Er wird den Wein wohl bestellt haben.
(3) Er wird nicht lange geblieben sein.
(4) Er wird vielleicht früh aufgewacht sein.
(5) Sie werden es ihm erzählt haben.
(6) Sie werden wohl alles mitgenommen haben.
(7) Er wird die Stadt verlassen haben.
(8) Er wird schon angekommen sein.

CHAPTER 21

Vocabulary

das **Geld, –er**   money

letzt   last
möglich   possible

weder . . . noch   neither . . . nor

IDIOMS

kennenlernen   get acquainted with
  ich lernte ihn kennen   I got acquainted with him (I learned to know
    him)
er sollte   he ought
es tut mir (ihm) leid   I am (he is) sorry

Subjunctive in Unreal Conditions

I. READING

Der Professor spricht mit den Studenten: „Herr Schmidt, was würden Sie diesen Sommer tun, wenn Sie Zeit und Geld hätten?" Herr Schmidt: „Wenn ich Zeit und Geld hätte, würde ich eine lange Reise machen." Der Professor: „Wohin würden Sie reisen, wenn Sie es könnten?" Herr Schmidt: „Am liebsten ginge ich nach Deutschland." Der Professor: „Was würden Sie sich in Deutschland ansehen?" Herr Schmidt: „Wenn es möglich wäre, würde ich mir ganz Deutschland ansehen, aber zuerst ginge ich in die Lüneburger Heide und dann in den Harz. Aber da ich weder Zeit noch Geld habe, werde ich wohl hier bleiben müssen." Der Professor: „Das tut mir leid, denn jeder junge Mensch sollte, wenn möglich, andere Länder kennenlernen. Nun, Fräulein Weiß, was hätten Sie letzten Sommer getan, wenn Sie Zeit und Geld gehabt hätten?" Fräulein Weiß: „Wenn ich Zeit und Geld gehabt hätte, würde ich natürlich eine lange Reise gemacht haben." Der Professor: „Wohin hätten Sie reisen mögen, wenn Sie es gekonnt hätten?" Fräulein Weiß: „Am liebsten wäre ich nach Österreich gegangen." Der Professor: „Was hätten Sie sich da angesehen?" Fräulein Weiß: „Wenn es möglich gewesen wäre, hätte ich mir ganz Österreich angesehen, aber zuerst wäre ich natürlich ins Salzkammergut gegangen. Ach, wenn ich nur Zeit und Geld gehabt hätte!"

II. GRAMMAR

The most important use of the subjunctive is in conditional sentences. In both English and German we distinguish between so-called "real" and "unreal" conditions. Both types of conditions express doubt or uncertainty, but an "unreal" condition expresses something which is contrary to fact and therefore requires the subjunctive, while a "real" condition takes the indicative. The examples below will show that German and English are similar in this respect.

1. Conditions in *present* and *future* time.

   a. Real:

      (1) Wenn der Student klug **ist,**   If the student *is* intelligent, he
          arbeitet er viel.   *works* hard.

      (2) Wenn er mein Freund **ist,**   If he *is* my friend, he *will* not
          wird er mich nicht **ver-**   *forget* me.
          gessen.

   b. Unreal:

      (1) Wenn der Student klug **wäre,**   If the student *were* intelligent, he
          würde er viel **arbeiten**   *would work hard.*
          (or) **arbeitete** er viel.

      (2) Wenn er mein Freund **wäre,**   If he *were* my friend, he *would*
          würde er mich nicht **ver-**   not *forget* me.
          gessen (or) **vergäße** er
          mich nicht.

   c. Rule for the use of tenses in unreal conditions in present or future time:

      In the if-clause, use *Present Subjunctive II.*

      In the conclusion, use either *Present Subjunctive II* or *Future Subjunctive II* (both are equally correct).

2. Conditions in past time.

   a. Real:

      Wenn er mein Freund **war, hat**   If he *was* my friend, he *did* not
      er mich nicht **vergessen.**   *forget* me.

   b. Unreal:

      Wenn er mein Freund **gewesen**   If he *had been* my friend, he *would*
      wäre, würde er mich nicht   not *have forgotten* me.
      vergessen haben (or) **hätte** er
      mich nicht **vergessen.**

   c. Rule for the use of tenses in unreal conditions in past time:

      In the if-clause, use *Past Subjunctive II.*

      In the conclusion, use either *Past Subjunctive II* or *Future Perfect Subjunctive II* (both are equally correct).

3. A clause introduced by **als ob** *as if* requires the subjunctive, either I or II.

   Der Mann sah aus, **als ob** er krank   The man looked *as if* he *were*
   wäre (sei).   sick.

Note: If a double infinitive construction occurs in a clause, it is best to avoid the future perfect subjunctive.

Important: In all unreal conditions always use *Subjunctive II,* never *Subjunctive I.*

4. **Wenn** may be omitted in conditional sentences. When this is done, inverted order is required in the clause. In such sentences, the main clause is often introduced by **so.**

Wäre er mein Freund, vergäße er mich nicht.	Were he my friend, he would not forget me.
Wäre er mein Freund **gewesen,** so hätte er mich nicht vergessen.	Had he been my friend, he would not have forgotten me.

III. EXERCISES

A. *Answer orally.*

1. Was würden Sie diesen Sommer tun, wenn Sie viel Geld hätten? 2. Wohin würden Sie reisen, wenn Sie es könnten? 3. Was sollten Sie heute abend tun? 4. Was würden Sie heute abend tun, wenn Sie nicht arbeiten müssten? 5. Was täten Sie morgen abend gern? 6. Täte es Ihnen leid, wenn Sie nicht ins Kino gehen könnten? 7. Was würden Sie am liebsten studieren, wenn Sie viel Zeit hätten? 8. Würden Sie sich freuen, wenn Sie ein deutsches Mädchen kennenlernten? 9. Was hätten Sie gestern abend tun sollen? 10. Hätte es Ihnen leid getan, wenn Ihr Freund nicht gekommen wäre? 11. Hätten Sie sich gefreut, wenn Sie ein deutsches Mädchen kennengelernt hätten? 12. Was hätten Sie gestern getan, wenn Sie Zeit gehabt hätten? 13. Was hätten Sie in Deutschland gesehen, wenn Sie dahin gefahren wären? 14. Mit wem wären Sie gern gereist, wenn Sie nach Österreich gefahren wären?

B. *Change the following real conditions:* (a) *into present unreal conditions, expressing the conclusion in two ways;* (b) *into past unreal conditions, expressing the conclusion in two ways, except in 7.*

1. Wenn ich nach Österreich reise, gehe ich auch nach Salzburg. 2. Wenn ich in Salzburg bin, höre ich gute Musik. 3. Wenn das Wetter nicht gut ist, bleibe ich im Hotel. 4. Wenn mein Freund kommt, hole ich ihn vom Bahnhof ab. 5. Wenn ich ihn im Zuge sehe, rufe ich seinen Namen. 6. Wenn wir ein Taxi finden können, fahren wir zum Hotel. 7. Wenn wir über Mozart sprechen, kann ich ihm viel erzählen. 8. Wenn wir im Hotel essen, treffen wir viele Amerikaner. 9. Wenn es uns gelingt, eine kleine Gastwirtschaft zu finden, trinken wir einen guten österreichischen Wein. 10. Wenn ich einen berühmten Dichter kennenlerne, werde ich meinen Freunden davon erzählen.

C. *Using the following groups of words, write unreal conditional sentences, first in present time, then in past.*

1. Tell, sein Kind, treffen; Geßler töten. 2. Tell, Knie, beugen; Soldaten, nicht ergreifen. 3. Die Schweiz, mächtiger, sein; Österreich, nicht unterdrücken, können. 4. Geschichte, interessant, sein; ich, lesen.

D. *Write in German.*

1. I would be sorry if I couldn't go to Germany this summer. 2. I would like to see the old cities of Germany and Austria. 3. If I went to Germany I would not take along much baggage. 4. If my friend didn't have to work during the summer, he would go with me. 5. But I believe that he has neither time nor money. 6. If I had gone last summer, he would perhaps have gone with me. 7. Then we would have seen all the cities about which we have heard so much. 8. If we had stayed a long time, we would have visited the small villages too. 9. If we had understood German, we would have become acquainted with many Germans. 10. If we had had enough money, we could have made the trip, but unfortunately it was not possible.

IV. PATTERN DRILLS

1. *Change the following real conditions to unreal conditions, using Present Subjunctive II in both clauses. Example:* Wenn ich ihn darum bitte, bringt er es mir. Wenn ich ihn darum bäte, brächte er es mir.

(1) Wenn er hier bleibt, gehe ich sofort.
(2) Wenn sie genug Geld hat, macht sie eine lange Reise.
(3) Wenn ich dich rufe, mußt du kommen.
(4) Wenn er mich darum bittet, gebe ich ihm mein Bild.
(5) Wenn ich es kann, gehe ich zum Bahnhof.
(6) Wenn sie mir schreibt, antworte ich ihr.
(7) Wenn wir dort sitzen, können wir ins Tal sehen.
(8) Wenn er sich dafür interessiert, bringe ich es ihm.

2. *Change the following real conditions to unreal conditions, using Present Subjunctive II in the* **wenn**-*clause and Future Subjunctive II in the conclusion. Example:* Wenn er heute noch kommt, werde ich ihn sehen. Wenn er heute noch käme, würde ich ihn sehen.

(1) Wenn mein Onkel hier ist, werde ich ihn sehen.
(2) Wenn sie genug Geld haben, werden sie eine Reise machen.

(3) Wenn sie ihn darum bittet, wird er ihr helfen.
(4) Wenn wir es können, werden wir diese Geschichte lesen.
(5) Wenn er es soll, wird er es auch tun.
(6) Wenn das geschieht, werde ich aus dem Haus laufen.
(7) Wenn sie zurückkommen, werden sie mich besuchen.
(8) Wenn er nicht kommt, wird es mir leid tun.

3. *Change the following unreal conditional sentences from present to past time, using the Past Subjunctive II in both clauses. Example:* Wenn er das Werk oft läse, könnte er es verstehen. Wenn er das Werk oft gelesen hätte, hätte er es verstehen können.

(1) Wenn er mir schriebe, antwortete ich ihm.
(2) Wenn er hier bliebe, erzählte ich ihm davon.
(3) Wenn die Aufführung stattfände, gingen wir dahin.
(4) Wenn er heute abend ankäme, träfe ich ihn noch.
(5) Wenn wir die Oper hörten, könnten wir sie verstehen.
(6) Wenn man mehr Geld hätte, könnte man reisen.
(7) Wenn er nicht käme, täte es mir leid.

4. *Change the following unreal conditional sentences from present to past time, using Past Subjunctive II in the* **wenn-***clause and Future Perfect Subjunctive II in the conclusion. Example:* Wenn er heute käme, würde ich mich freuen. Wenn er heute gekommen wäre, würde ich mich gefreut haben.

(1) Wenn er mir schriebe, würde ich ihm antworten.
(2) Wenn er es könnte, würde er mir schreiben.
(3) Wenn er hier wäre, würde ich zurückkommen.
(4) Wenn die Mutter uns riefe, würden wir kommen.
(5) Wenn sie uns das Buch brächten, würden wir es lesen.
(6) Wenn man es wollte, würde man die Reise machen.
(7) Wenn die Kinder es dürften, würden sie ins Theater gehen.

5. *Restate the following sentences, omitting* **wenn** *from the conditional clause, and changing the word order as required. Example:* Wenn er mich darum bäte, so würde ich es ihm bringen. Bäte er mich darum, so würde ich es ihm bringen.

(1) Wenn er mir schriebe, so würde ich ihm antworten.
(2) Wenn er genug Geld hätte, so würde er eine Reise machen.
(3) Wenn sie hier wäre, so kämen wir gleich zurück.
(4) Wenn sie zurückkämen, so bliebe ich auch hier.
(5) Wenn er mich gerufen hätte, so wäre ich nicht hier geblieben.
(6) Wenn er sein Buch behalten hätte, so könnte er besser lesen.

CHAPTER 22

Vocabulary

der **Anfang, ⸚e**   beginning
der **Film, –e**   movie
der **Konjunktiv, –e**   subjunctive

das **Kino, –s**   movie theatre, movies

die **Prüfung, –en**   examination
die **Reklame, –n**   advertisement
die **Zeitung, –en**   newspaper

ab·holen, holte ab, abgeholt   call for
an·fangen, fing an, angefangen   start

neu   new
ob   whether

ach   oh
nun   well!

IDIOMS

heute morgen   this morning
gar nicht   not at all
gar nichts   nothing at all
ins Kino gehen   go to the movies

Subjunctive of Indirect Statement
Minor Uses of the Subjunctive

I. READING

Ein Student kam heute ins Zimmer und setzte sich an seinen Platz. Vor ihm saßen Herr Schmidt und Fräulein Weiß. Er hörte sie sprechen. Er: „Was tust du heute abend?" Sie: „Ach, ich weiß es noch nicht. Ich werde wohl für die große Prüfung in Soziologie arbeiten." Er: „Du hast schon so viel dafür gearbeitet. Es ist nicht klug, zu viel zu arbeiten. Willst du nicht mit mir ins Kino gehen?" Sie: „Nun, ja, das kann ich wohl. In welches Kino gehen wir?" Er: „Als ich heute morgen die Zeitung las, sah ich eine Reklame für einen neuen deutschen Film. Wollen wir nicht dahin gehen?" Sie: „O, ja, meine Freunde sagen, er ist sehr gut. Komme aber nicht zu spät, um mich abzuholen. Wir müssen am Anfang da sein, wenn wir den Film verstehen wollen."

Nun kam ein anderer Student und setzte sich neben den ersten. Er fragte: „Worüber sprechen die beiden vor uns?" Also erzählte der erste es ihm: „Herr Schmidt hat Fräulein Weiß gefragt, was sie heute abend täte (tue), und sie hat geantwortet, daß sie es noch nicht wüßte (wisse); sie würde (werde) wohl für die große Prüfung in Soziologie arbeiten. Dann hat er gesagt, sie hätte (habe) schon so viel für die Prüfung gearbeitet. Es wäre (sei) nicht klug, zu viel zu arbeiten. Und dann hat er sie gefragt, ob sie nicht mit ihm ins Kino gehen wollte (wolle). Dazu hat sie gesagt, das könnte (könne) sie wohl, und hat gefragt, in welches Kino sie gehen würden. Er antwortete, daß er heute morgen die Zeitung gelesen hätte (habe) und da die Reklame für einen neuen deutschen Film gesehen hätte (habe), und hat sie dann gefragt, ob sie nicht dahin gehen sollten. Sie hat geantwortet, daß ihre Freunde sagten, er wäre (sei) sehr gut. Dann hat sie ihm gesagt, er sollte (solle) aber nicht zu spät kommen, um sie abzuholen, denn sie müßten am Anfang da sein, wenn sie den Film verstehen wollten."

II. GRAMMAR

1. Indirect statements after verbs of saying or thinking normally require the subjunctive. But if the verb of saying is in the present tense, the indicative is generally used in the indirect statement.

   a. The tense of the indirect statement is determined by the tense in which the direct statement was made. It is not affected by the tense of the verb of saying.

Direct Statement — Indicative	Indirect Statement — Subjunctive
Present	Present I or II
Past ⎫	
Present Perfect ⎬	Past I or II
Pluperfect ⎭	
Future	Future I or II
Future Perfect	Future Perfect I or II

Er sagte: „Ich **komme** heute."	Er sagte, er **komme** (**käme**) heute.
Er sagte: „Ich **kam** heute." ⎫	
Er sagte: „Ich **bin** heute gekommen." ⎬	Er sagte, er **sei** (**wäre**) heute gekommen.
Er sagte: „Ich **war** heute gekommen." ⎭	
Er sagte: „Ich **werde** heute kommen."	Er sagte, er **werde** (**würde**) heute kommen.
Er sagte: „Ich **werde** heute gekommen sein."	Er sagte, er **werde** (**würde**) heute gekommen sein.

   b. In everyday speech *Subjunctive II* is generally used in all indirect statements.

   Der Student sagte, er **würde** nicht **arbeiten,** denn er **hätte** kein Buch.
   Sie sagten, sie **würden** nicht **arbeiten,** denn sie **hätten** keine Bücher.

   c. In literary German *Subjunctive I* is very frequently used.

   Geßler sagte, er **werde** Tell töten, denn er **habe** die Macht.

   But even in literary German, when the subjunctive form is the same as the corresponding indicative form, *Subjunctive II* must be used.

   Die Schweizer sagten, sie **würden** Geßler töten, denn sie **hätten** jetzt die Macht.

d. As in English, an indirect statement may or may not be introduced by the conjunction **daß** *that.* If **daß** is used, the verb
stands at the end: if not, the order is normal.

> Er sagte, er **müsse** schwer arbeiten.
> Er sagte, **daß** er schwer arbeiten **müsse.**

e. An *indirect question* is introduced by the same interrogative
(**wo, wann, warum, wie,** etc.) as the corresponding direct
question. If the direct question does not contain an interrogative, the corresponding indirect question is introduced by **ob,**
and the verb stands at the end.

> Er fragte mich: „Wann werden Sie kommen?"
> Er fragte mich, wann ich kommen würde.
> Er fragte mich: „Werden Sie heute kommen?"
> Er fragte mich, ob ich heute kommen würde.

f. An *indirect command* requires the use of **sollen** *shall.* The construction common in English — *She told the child to come* — is
impossible in German

> Sie sagte zum Kind: „Komm!"
> Sie sagte zum Kind, daß es kommen sollte (solle).

2. Minor uses of *Subjunctive I* almost never found in everyday speech
but encountered fairly often in reading:

a. To express a formal wish:

> Es **lebe** die Republik! Long live the republic!

b. To express a command in third person singular:

> **Geh(e)** er zum König! Let him go to the king.

III. EXERCISES

A. *Change the following direct quotations to indirect quotations.*

1. Fräulein Weiß sagte: „Ich wollte heute nicht zur Universität
kommen. Ich weiß aber, daß wir heute eine kleine Prüfung haben, also
war es wohl besser zu kommen." 2. Herr Schmidt antwortete: „Es
ist nicht immer klug, zu einer Prüfung zu kommen." Er fragte:
„Kannst du den Konjunktiv verstehen?" 3. Sie antwortete: „Meine
Freundin und ich haben den ganzen Abend daran gearbeitet, und am
Ende verstanden wir ihn ganz gut." 4. Er sagte: „Dann erzähle
mir doch davon. Ich verstehe ihn gar nicht." 5. Sie sagte: „Das

geht nicht so schnell. Wir mußten lange daran arbeiten, und ich muß Zeit haben, dir alles zu erklären. Bald werden die anderen Studenten kommen, und dann wird die Prüfung anfangen." 6. Er sagte: „Die anderen werden auch wohl nicht alles verstanden haben. Sie können nur schreiben, was sie wissen, und ich werde dasselbe tun." 7. Sie sagte: „Sprich nun nicht mehr! Der Professor kommt schon."

B. *Supply the correct subjunctive form of the verbs given in parentheses, using the tense that is appropriate for the context.*

1. Mein Bruder sagte mir, er . . . (*können*) jetzt nicht gehen. 2. Meine Freunde sagten, sie . . . (*kommen*) in zwei Jahren. 3. Die Mutter sagte, Kinder . . . (*sollen*) jetzt im Hause bleiben. 4. Der Vater sagte auch, sie . . . (*müssen*) es tun. 5. Seine Freunde sagten, daß sie schon vor einer Woche davon . . . (*hören*). 6. Der Student sagte, er . . . (*fahren*) nächstes Jahr nach Deutschland. 7. Er fragte mich, ob ich nächsten Sommer mitgehen . . . (*wollen*). 8. Ich sagte ihm, daß ich es gern . . . (*tun*). 9. Ich sagte ihm, daß ich noch nie da . . . (*sein*). 10. Er sagte, er . . . (*mögen*) mir das Land zeigen. 11. Ich sagte, das . . . (*freuen*) mich sehr. 12. Ich sagte, daß ich noch nicht viel von der Welt . . . (*sehen*). 13. Er sagte, er . . . (*wissen*) viel von Deutschland und . . . (*wollen*) mir davon erzählen. 14. Er sagte, daß die meisten Amerikaner Europa nicht sehr gut . . . (*verstehen*).

C. *Write in German.*

1. The professor asked a student whether he wanted to go to the movies tonight. 2. The student answered that he could not go because he had to work. 3. He said that he had seen a good movie last night. 4. He said that he and his friends read the newspaper every day in order to find the best movies. 5. He said, a week ago they had read something about a new German movie. 6. He said that they would probably see it next week. 7. The professor said that he too knew something about this movie, and he hoped that they would understand it. 8. He told them to read the story before they went to the movie. 9. The students said that they would gladly do that.

IV. PATTERN DRILLS

1. *Change the following direct quotations to indirect ones introduced by* **daß.**
Use the Present Subjunctive I. Example: Er sagte: „Dieser Berg ist
der höchste von allen." Er sagte, daß dieser Berg der höchste von
allen sei.

(1) Er sagte: „Dies ist kein gutes Geschäft."
(2) Er sagte: „Der Student geht oft ins Kino."
(3) Er sagte: „Er holt das Mädchen heute abend ab."
(4) Er sagte: „Der Student hat heute eine Prüfung."
(5) Er sagte: „Der junge Mann bringt uns eine Zeitung."

2. *Change the following direct quotations to indirect ones introduced by* **daß.**
Use Present Subjunctive II. Example: Er sagte: „Das Mädchen weiß
es nicht." Er sagte, daß das Mädchen es nicht wüßte.

(1) Er sagte: „Der Student geht oft ins Kino."
(2) Er sagte: „Sie will alles wissen."
(3) Er sagte: „Der Film fängt um 7 Uhr an."
(4) Er sagte: „Die jungen Leute gehen dahin."
(5) Er sagte: „Die Kinder laufen auch dahin."
(6) Er sagte: „Man darf das nicht tun."
(7) Er sagte: „Beide Kinder sollen mitgehen."
(8) Er sagte: „Die Freunde kommen um 8 Uhr an."

3. *Change the following direct quotations to indirect ones introduced by* **daß.**
Use the Past Subjunctive II. Example: Er sagte: „Der Mann brachte
die Zeitung." Er sagte, daß der Mann die Zeitung gebracht
hätte.

(1) Er sagte: „Die Prüfung war gar nicht schwer."
(2) Er sagte: „Das Kind fiel oft hin."
(3) Er sagte: „Sie sah ihn heute zum ersten Mal."
(4) Er sagte: „Sie fing gestern mit der Arbeit an."
(5) Er sagte: „Der Dichter erwähnte sein bestes Werk."
(6) Er sagte: „Sie kamen um acht Uhr an."
(7) Er sagte: „Sie nahmen es nicht mit."
(8) Er sagte: „Die Mutter rief ihre Kinder."

4. *Change the following direct quotations to indirect ones introduced by* **daß.**
Use Past Subjunctive II. Example: Er sagte: „Der Student hat gar
nichts verstanden." Er sagte, daß der Student gar nichts verstanden hätte.

(1) Er sagte: „Er ist gleich gekommen."
(2) Er sagte: „Sie hat den Film noch nicht gesehen."
(3) Er sagte: „Das neugierige Mädchen hat die Zeitung gelesen."
(4) Er sagte: „Die Leute haben es mitgenommen."
(5) Er sagte: „Sie sind vielleicht da gewesen."
(6) Er sagte: "Das Mädchen ist wohl nicht lange geblieben."
(7) Er sagte: „Sie hat wohl schon damit angefangen."

5. *Change the quotations to indirect statements introduced by* **daß.** *Use
Future Subjunctive I. Example:* Er sagte: „Sie wird gleich kommen."
Er sagte, daß sie gleich kommen werde.

(1) Er sagte: „Der Mann wird gar nichts tun."
(2) Er sagte: „Das Kind wird gar nichts verstehen."
(3) Er sagte: „Sie wird wohl nicht bleiben."
(4) Er sagte: „Das Mädchen wird die Zeitung behalten."

*In the following sentences, continue in the same manner, but use Future
Subjunctive II. Example:* Er sagte: „Er wird nicht kommen." Er
sagte, daß er nicht kommen würde.

(5) Er sagte: „Seine Brüder werden gar nichts tun."
(6) Er sagte: „Die Studentinnen werden ins Kino gehen."
(7) Er sagte: „Sie werden die alte Zeitung behalten."
(8) Er sagte: „Seine Freunde werden wohl nicht bleiben."

6. *Change the following direct questions to indirect questions introduced by* **ob,**
*using Subjunctive II in the tense correspoinding to the tense in the direct
question. Example:* Er fragte mich: „Kann der Mann kommen?"
Er fragte mich, ob der Mann kommen könnte.

(1) Er fragte mich: „Wohnt unser Onkel jetzt in der Stadt?"
(2) Er fragte mich: „Weiß sie gar nichts davon?"
(3) Er fragte mich: „Darf sie heute abend ins Kino gehen?"
(4) Er fragte mich: „Ist das Mädchen sehr neugierig?"
(5) Er fragte mich: „Muß sie jetzt schon zurückgehen?"
(6) Er fragte mich: „Wird unser Freund heute wohl kommen?"
(7) Er fragte mich: „Hat er die Zeitung gebracht?"
(8) Er fragte mich: „Kam sie gestern abend?"

7. *Change the following direct commands to sentences containing indirect commands, using Subjunctive II of* **sollen** *without* **daß.** *Example:* Der Vater sagte: „Fritz, gehe nicht dahin!" Der Vater sagte Fritz, er sollte nicht dahin gehen.

(1) Der Vater sagte: „Fritz, gehe heute nicht ins Kino!"
(2) Die Mutter sagte: „Marie, sprich nicht so schnell!"
(3) Der Professor sagte: „Herr Schmidt, treten Sie doch ein!"
(4) Mein Freund sagte: „Frau Schmidt, bleiben Sie hier!"
(5) Mein Freund sagte: „Fräulein Braun, kommen Sie doch mit!"

REVIEW IV

Vocabulary

der **Feind, -e** enemy
der **Herold, -e** herald
der **Individualist, -en, -en** individualist
der **Kaufmann, Kaufleute** merchant
der **Raubritter, —** robber knight
der **Ritter, —** knight

das **Gefängnis, -ses, -se** prison

die **Natur', -en** nature
die **Strafexpedition, -en** punitive expedition

befreien free, set free
besiegen defeat
bestrafen punish
betrügen, betrog, betrogen cheat
berauben rob (*a person*)
schicken send
stören disturb
verlieren, verlor, verloren lose
verraten, verriet, verraten (verrät) betray
versprechen, versprach, versprochen (verspricht) promise

arm poor
einmal once
eisern iron
falsch false
friedlich peaceful
gefährlich dangerous
hoffnungslos hopeless
kaiserlich imperial
kurz short
mittelalterlich medieval
persönlich personal
recht right
reich rich

IDIOM

gefangen·nehmen take prisoner

192

I. READING

„Jagsthausen ist ein romantisches mittelalterliches Schloß mit dicken Mauern und Türmen, und in dem Hof dieses Schlosses sahen wir die Aufführung von Goethes berühmtem Drama ‚Götz von Berlichingen mit der eisernen Hand', das er im Jahre 1773 schrieb. Götz wurde der Ritter mit der eisernen Hand genannt, weil er, anstatt der rechten Hand, die er in einem Kampf verloren hatte, eine eiserne Hand hatte. Goethe interessierte sich für Götz, weil dieser ein starker Individualist war, der für die persönliche Freiheit des Menschen kämpfte. Man könnte Götz wohl einen Raubritter nennen, denn er beraubte reiche Kaufleute auf der Landstraße, aber mit dem Geld half er armen Menschen. Er war ein guter, einfacher Mann, der mehr als einmal betrogen und verraten wurde, nicht nur von seinen Feinden, sondern auch von falschen Freunden.

Solch ein falscher Freund ging zum Kaiser und sagte, Götz hätte den Frieden im Lande gestört, und man müsse ihn bestrafen. Er sagte, der Kaiser sollte eine Strafexpedition gegen ihn schicken. Wenn er es nicht täte, würde Götz immer gefährlicher für das Land werden.

Natürlich konnten Götz und seine Leute sich nicht gegen die kaiserliche Macht halten, und nach kurzem Kampf wurden sie besiegt. Aber der kaiserliche Herold versprach: Wenn Götz friedlich sein Schloß verließe, so würde man ihm seine Freiheit lassen. Götz tat das, denn wenn er es nicht getan hätte, so hätte man ihn und seine Leute alle getötet. Aber der kaiserliche Herold hat sein Wort nicht gehalten, und Götz ist wieder betrogen worden.

Er wurde gefangengenommen, wurde aber durch die Hilfe eines guten Freundes wieder befreit. Er ging auf sein Schloß zurück und versprach, ganz still da zu bleiben. Aber solch ein stilles Leben war zu sehr gegen seine Natur. Als die schwer unterdrückten Bauern zu ihm kamen und ihn um Hilfe in ihrem Kampf um Freiheit baten, konnte er nicht nein sagen. Es war aber ein hoffnungsloser Kampf, und am Ende des kurzen Krieges wurde Götz wieder gefangengenommen. Er starb im Gefängnis in Heilbronn. Seine letzten Worte waren: ‚Freiheit! Freiheit!' "

II. EXERCISES

A. *Answer orally, using the same tense in your answers as is used in the questions.*

1. In was für einem Schloß hat Götz gewohnt? 2. Was für Mauern

und Türme hatte sein Schloß? 3. Wann hat Goethe sein Drama über Götz geschrieben? 4. Wie ist Götz oft genannt worden? 5. Wofür kämpfte er? 6. Würden Sie sich wohl für Götz interessieren, wenn Sie nach Jagsthausen kämen? 7. Was ist ein Raubritter? 8. Was tat Götz mit dem Geld, das er von reichen Kaufleuten nahm? 9. Was für Freunde haben ihn betrogen? 10. Warum sollte Götz bestraft werden? 11. Hat Götz sich gegen die Macht des Kaisers halten können? 12. Wie sollte er sein Schloß verlassen? 13. Wie wurde er wieder betrogen? 14. Wer befreite ihn, als er im Gefängnis war? 15. Wohin ist er zurückgegangen? 16. Warum konnte er nicht halten, was er versprochen hatte? 17. Worum baten die Bauern ihn? 18. Was geschah am Ende des Krieges mit ihm? 19. Wo ist er gestorben? 20. Würden Sie sich das Drama von Götz ansehen, wenn Sie in Jagsthausen wären?

B. *Rewrite the first paragraph of* I *as an indirect quotation, beginning with:* **Unser Professor erzählte, ...**

C. *Complete the following incomplete sentences.*

1. Wenn ich viele Freunde in Deutschland hätte .... 2. Meine deutschen Freunde würden mir viel zeigen, wenn .... 3. Wenn ich Weinsberg besuchen könnte, ... 4. Wenn wir nach Jagsthausen gingen, ... 5. Wir würden Goethes Drama verstehen, wenn .... 6. Wenn Götz nicht solch ein starker Individualist gewesen wäre, ... 7. Goethe hätte sich nicht für Götz interessiert, wenn .... 8. Wäre Götz nicht solch ein guter, einfacher Mann gewesen, ... 9. Wenn die kaiserliche Macht nicht so stark gewesen wäre, ... 10. Wenn die Bauern Götz nicht um Hilfe gebeten hätten, ...

D. *Change the present conditional sentences in* D *above to past time and vice versa.*

E. *Using the following groups of words, write short stentences in the passive present tense; then change them to the past and the present perfect.*

1. Kirche, Bischof, bauen. 2. ich, Freund, verraten. 3. Drama, Dichter, schreiben. 4. Buch, deutsch, Verlag, drucken. 5. Lexikon, ich, bestellen.

F. *Recapitulate the main points in the story of Götz as indirect speech, beginning:* **Man erzählte von Götz, ...** .

G. *Write 10 unreal conditional sentences in present or future time about any subject that has been treated in our text. Then change your sentences to past time.*

H. *Write a letter to a German publisher, ordering certain books.*

I. *Write in German.*

1. Many old legends are told about the city of Goslar. 2. It is said that the little river on which it lies was seen for the first time by Emperor Henry I in 922. 3. He gathered his retinue around him(self) and cried, "In a year, I shall have built a great castle on this meadow." 4. After the castle had been built, many people settled there. 5. Later, walls were built around the city. 6. Ten days ago my old friend Peter wrote me that he was hoping to come to America next summer. 7. He said that he had asked his father if he could make the trip. 8. His father said that he could go. 9. He also said he would like to give his son the money, but that he simply didn't have it. 10. He said that years ago he had taken a trip to Austria, and that he still remembered it very well. 11. He told his son that he should go to America and see as much as possible. 12. If Peter came to America next year, he would probably travel on a German ship. 13. He would not take along much baggage. 14. If he arrived in Boston, I would meet him there. 15. If I had the time for it, I would show him one of our most famous universities. 16. If he didn't have to go back so soon, he would get acquainted with our country. 17. If he had come last summer, I would have had more time for him. 18. Then I would have driven with him to Chicago and perhaps to San Francisco. 19. If he had stayed the whole summer, he would have seen many interesting places. 20. I would have been very glad, if this had been possible.

IV. PATTERN DRILLS

(*Review IV-A*)

1. *Answer the questions affirmatively in the first person singular, changing the verb in the main clause from Present Subjunctive II to Future Subjunctive II.*
Example: Gingen Sie ins Kino, wenn Sie es könnten? Ja, ich würde ins Kino gehen, wenn ich es könnte.

(1) Sprächen Sie mit ihm, wenn er freundlich wäre?
(2) Gingen Sie gern mit, wenn er es wollte?

(3) Gäben Sie ihm Geld, wenn er nicht genug hätte?

(4) Freuten Sie sich, wenn er käme?

(5) Führen Sie mit ihm im Auto, wenn er es wollte?

(6) Holten Sie ihn am Bahnhof ab, wenn er käme?

(7) Ließen Sie ihn mitkommen, wenn es möglich wäre?

(8) Verließen Sie ihn, wenn er kein Geld hätte?

2. *Answer the questions affirmatively in the first person plural, beginning with the* **wenn**-*clause. Example:* Wären Sie ins Kino gegangen, wenn es möglich gewesen wäre? Ja, wenn es möglich gewesen wäre, wären wir ins Kino gegangen.

(1) Wären Sie gern mitgegangen, wenn es möglich gewesen wäre?

(2) Hätten Sie ihn gesehen, wenn er da gewesen wäre?

(3) Hätten Sie ihm Geld gegeben, wenn er nicht genug gehabt hätte?

(4) Wären Sie im Hause geblieben, wenn er gekommen wäre?

(5) Würden Sie es ihm gesagt haben, wenn er es nicht gewußt hätte?

(6) Würden Sie ihn abgeholt haben, wenn er gekommen wäre?

(7) Würden Sie ihm davon erzählt haben, wenn er es gewünscht hätte?

(8) Würden Sie das Buch gelesen haben, wenn es möglich gewesen wäre?

3. *To the following sentences, prefix the phrase* **Es sah aus, als ob** . . . . *Use Subjunctive II in the tense that corresponds to the tense of the verb in the original statement. Example:* Er hat alles mitgenommen. Es sah aus, als ob er alles mitgenommen hätte.

(1) Er ist ganz allein.

(2) Er wird seine Freiheit verlieren.

(3) Sie werden nur kurz kämpfen.

(4) Sie haben nur kurz gekämpft.

(5) Sie werden alles verlieren.

(6) Sie haben schon alles verloren.

(7) Der Kampf fängt schon an.

(8) Der Kampf hat schon angefangen.

4. *Answer the following questions affirmatively, retaining the tense of the question and changing all nouns to pronouns. Example:* Wurde die Oper von diesem Dichter geschrieben? Ja, sie wurde von ihm geschrieben.

(1) Wurde der Soldat von diesem Mann getötet?

(2) Wird die Zeitung von den Studenten gelesen?

(3) Ist diese Geschichte von dem Professor erzählt worden?
(4) Wurde der Mann von den Soldaten erschossen?
(5) War das Werk schon von dem Verlag gedruckt worden?
(6) Wird die Zeitung wohl von der Studentin bestellt werden?
(7) Wird sein Geburtstag von der Mutter erwähnt?
(8) Ist das Kind von seiner Mutter gerufen worden?

5. *Answer the questions affirmatively, introduced by* **Sie sagte** .... *Use Present Subjunctive II only. Example:* Darf er heute gehen? Ja, sie sagte, er dürfte heute gehen.

(1) Muß er es wohl tun?
(2) Will sie dieses Buch behalten?
(3) Soll man das Beste behalten?
(4) Kann jeder Mensch das verstehen?
(5) Darf man ihm das versprechen?
(6) Mag er das wohl?
(7) Denken die Studenten oft an ihre Reise?
(8) Bringen sie beide Freunde mit?

6. *Change from direct to indirect questions in the tense corresponding to the tense of the direct question. Use Subjunctive II only. Example:* Er fragte mich: „Wann starb der arme Soldat?" Er fragte mich, wann der arme Soldat gestorben wäre.

(1) Er fragte mich: „Wo lebte Götz von Berlichingen?"
(2) Er fragte mich: „Warum betrogen die Freunde ihn?"
(3) Er fragte mich: „Wann hat man ihm Freiheit versprochen?"
(4) Er fragte mich: „Wann werden wir dieses Drama lesen?"
(5) Er fragte mich: „Warum sollen wir es lesen?"
(6) Er fragte mich: „Wie kann man es übersetzen?"

7. *Answer the following questions negatively in the first person singular, retaining the tense used in the question. Example:* Wird es Ihnen gelingen, die Arbeit zu machen? Nein, es wird mir nicht gelingen, die Arbeit zu machen.

(1) Waren Sie heute morgen zum ersten Mal da?
(2) Gehen Sie gern ins Kino?
(3) Sind Sie früher gern ins Kino gegangen?
(4) Gelingt es Ihnen, die Arbeit zu machen?
(5) Ist es Ihnen gelungen, alles zu lernen?
(6) Tut es Ihnen leid, daß er kommt?
(7) Tat es Ihnen leid, daß er kam?
(8) Hat es Ihnen leid getan, daß er kam?

(*Review IV-B*)

1. *Answer the following questions negatively, but affirm with the date following the one mentioned in the question. Example:* Kommt er am 22. September? Nein, er kommt nicht am 22. September, sondern am 23. September.

(1) Kommt er am 30. März?   (4) Kommt er am 2. Juli?
(2) Kommt er am 1. Mai?   (5) Kommt er am 7. Februar?
(3) Kommt er am 19. April?   (6) Kommt er am 15. November?

2. *Answer the questions affirmatively introduced by* **Ja, er sagte, daß** .... *Use Subjunctive I when the verb is singular and Subjunctive II when the verb is plural. Examples:* Geht die Frau gern mit ihm? Ja, er sagte, daß die Frau gern mit ihm gehe. Gehen die Frauen gern mit ihm? Ja, er sagte, daß die Frauen gern mit ihm gingen.

(1) Spielt das Kind gern?
(2) Spielen die Kinder gern?
(3) Tut jeder seine Pflicht?
(4) Tun alle ihre Pflicht?
(5) Verspricht jeder, es zu tun?
(6) Versprechen alle, es zu tun?
(7) Kommt sein Bruder auch mit?
(8) Kommen seine Brüder auch mit?

3. *Answer the questions affirmatively, introduced by* **Ja, man sagte** .... *Use Subjunctive I when the verb is singular and Subjunctive II when it is plural. Example:* Blieb Götz lange auf seiner Burg? Ja, man sagte, Götz sei lange auf seiner Burg geblieben.

(1) Lebte Götz in Deutschland?
(2) War er ein Raubritter?
(3) Half er den armen Leuten?
(4) Baten die Bauern ihn um Hilfe?
(5) Kämpften sie um ihre Freiheit?
(6) Nahmen die Feinde Götz gefangen?

4. *Answer the questions affirmatively, introduced by* **Ja, er schrieb mir, daß** .... *Use Subjunctive I when the verb is singular and Subjunctive II when it is plural. Example:* Hat er die Geschichte gelesen? Ja, er schrieb mir, daß er die Geschichte gelesen habe.

(1) Hat er alles verloren?
(2) Ist der Mann schon gestorben?

(3) Hat man es ihm versprochen?
(4) Haben die Leute ihn betrogen?
(5) Sind gie geflohen?
(6) Haben sie sich darüber gefreut?

5. *Answer the questions affirmatively, introduced by* **Ja, sie sagte** .... *Use Subjunctive I when the verb is singular and Subjunctive II when it is plural. Example:* War er vor Jahren einmal da gewesen? Ja, sie sagte, er sei vor Jahren einmal da gewesen.

(1) War er schon aufgewacht?
(2) War er schon aufgestanden?
(3) Hatte die Aufführung schon angefangen?
(4) Hatten sie die Zeitung schon gelesen?
(5) Hatten sie es ihm schon mitgeteilt?
(6) Waren die Briefe schon eingetroffen?

6. *Answer the following questions negatively in the present tense, but affirm in the present perfect, as in this example:* Wird die Arbeit heute getan? Nein, die Arbeit wird heute nicht getan, denn sie ist gestern schon getan worden.

(1) Wird es heute gebracht?
(2) Wird es heute bestellt?
(3) Wird der Wolf heute getötet?
(4) Wird das Werk heute erwähnt?
(5) Werden die Häuser heute verkauft?
(6) Werden die Freunde heute abgeholt?

7. *Answer the questions affirmatively, introduced by* **Ja, alle sagten** .... *Use Subjunctive I when the verb is singular and Subjunctive II when it is plural. Example:* Werden die Studenten mitgehen? Ja, alle sagten, die Studenten würden mitgehen.

(1) Wird er bald kommen?
(2) Wird er hier bleiben?
(3) Werden die Kinder mitkommen?
(4) Werden diese Leute ihre Pflicht tun?
(5) Wird man den Ritter befreien?
(6) Werden die Feinde ihn verraten?

8. *Answer the questions affirmatively in the first person singular. Example:* Haben Sie das Mädchen kennengelernt? Ja, ich habe das Mädchen kennengelernt.

(1) Lernten Sie die Frau kennen?

(2) Werden Sie sie wohl kennenlernen?
(3) Hatten Sie den Mann kennengelernt?
(4) Sind Sie im Jahre 1942 geboren?
(5) Sind Sie im Jahre 1964 nach Deutschland gereist?
(6) Waren Sie im Jahre 1959 zum ersten Mal da?

9. *Answer the questions on the basis of the preceding statement. Example:*
Dieses Jahr haben wir 1964. Was haben wir nächstes Jahr?
Nächstes Jahr haben wir 1965.

(1) Dieses Jahr haben wir 1914. Was haben wir nächstes Jahr?
(2) Dieses Jahr haben wir 1811. Was haben wir nächstes Jahr?
(3) Dieses Jahr haben wir 1900. Was haben wir nächstes Jahr?
(4) Dieses Jahr haben wir 1754. Was haben wir nächstes Jahr?
(5) Dieses Jahr haben wir 1489. Was haben wir nächstes Jahr?
(6) Dieses Jahr haben wir 1838. Was haben wir nächstes Jahr?
(7) Dieses Jahr haben wir 1962. Was haben wir nächstes Jahr?

Appendix

I. THE ARTICLE

A. Definite article | B. Indefinite article and *kein*

	SINGULAR			PLURAL	SINGULAR			PLURAL
	MASC.	FEM.	NEUT.	ALL GENDERS	MASC.	FEM.	NEUT.	ALL GENDERS
N.	der	die	das	die	ein	eine	ein	keine
G.	des	der	des	der	eines	einer	eines	keiner
D.	dem	der	dem	den	einem	einer	einem	keinen
A.	den	die	das	die	einen	eine	ein	keine

C. The possessive adjectives **mein, dein, sein, ihr, unser, euer, ihr, Ihr** are declined like **ein, kein.**

D. Use of the articles: in general the article is used as in English. The most important exceptions are:

1. The indefinite article is omitted before an unmodified predicate noun when it indicates a profession or membership in a class.

> Er ist Lehrer. He is a teacher.

2. The definite article is ordinarily used in German where it is not used in English:

   a. When a noun is used in a very general or abstract sense.

   > **Die** Natur ist schön. Nature is beautiful.

   b. With days of the week, months, seasons, and usually with meals.

   > **Im** Sommer gehe ich nach **dem** Abendessen in den Garten. In summer I go into the garden after supper.

   c. To replace a possessive adjective when the ownership is clear.

   > Er hat ein Buch in **der** Hand. He has a book in his hand.

   d. With the names of three countries: **die** Schweiz *Switzerland*, **die** Tschechoslowakei *Czechoslovakia*, **die** Türkei *Turkey*.

E. Names of the days of the week and of the months

der Sonntag	der Januar	der September
der Montag	der Februar	der Oktober
der Dienstag	der März	der November
der Mittwoch	der April	der Dezember
der Donnerstag	der Mai	
der Freitag	der Juni	
der Sonnabend *or*	der Juli	
der Samstag	der August'	

II. NOUNS

A. Aids in determining the gender of nouns

1. *Masculines*

   a. male beings: **der Vater, der Sohn,** etc.

   b. days of the week, months, and seasons: **der Montag, der Januar, der Winter,** etc.

   c. points of the compass: **der Norden, der Süden,** etc.

   d. nouns ending in –ich, –ig, –ing: **der Teppich, der König,** etc.

   e. nouns ending in –en except infinitives used as nouns: **der Laden, der Wagen,** etc.

2. *Feminines*

   a. female beings: **die Mutter, die Tochter,** etc.

   b. nearly all nouns ending in –e: **die Blume, die Schule,** etc.

   c. nouns ending in –ei, –ie, –in, –heit, –keit, –kunft, –schaft, –ung, –ik, –ion, –tät, –ur.

   d. names of a few countries: **die Tschechoslowakei, die Türkei, die Schweiz.**

3. *Neuters*

   a. Names of all but the three countries listed under the feminines, of provinces and of cities: **das junge Amerika, das schöne München,** etc.

   b. Infinitives used as nouns: **das Sehen,** etc.

   c. Diminutives ending in –chen and –lein: **das Mädchen, das Fräulein,** etc.

   d. All metals (except **der Stahl** *steel,* **die Bronze** *bronze*): **das Gold, das Silber,** etc.

e. Most nouns ending in **–nis, –sal, –tum: das Geschehnis, das Schicksal, das Christentum,** etc.

4. Compound nouns have the gender of the last component part: **das Wirtshaus** *inn.*

B. Noun plurals

1. German nouns are divided into four classes according to the way in which their plurals are formed.

Class I takes no ending but often takes an Umlaut on the stem vowel: **der Schatten, die Schatten; die Mutter, die Mütter.**

Class II takes the ending **–e** and frequently an Umlaut: **der Tag, die Tage; die Hand, die Hände.**

Class III takes the ending **–er** and always an Umlaut: **der Mann, die Männer; das Kind, die Kinder** (one remembers, of course, that only **a, o, u, au,** are subject to Umlaut).

Class IV takes the ending **–n** or **–en** and never takes an Umlaut: **die Familie, die Familien; die Frau, die Frauen.** Masculine nouns belonging to this class also take the ending **–n** or **–en** in all cases of the singular except in the nominative: **der Mensch, des Menschen, dem Menschen, den Menschen.**

Feminine nouns ending in **–in** double the **n** in forming the plural: **die Studentin, die Studentinnen.**

2. Sample declensions of nouns

CLASS I	CLASS II	CLASS III	CLASS IV
		SINGULAR	
N. der Vater	die Hand	das Dorf	die Tür	der Student
G. des Vaters	der Hand	des Dorfes	der Tür	des Studenten
D. dem Vater	der Hand	dem Dorf(e)	der Tür	dem Studenten
A. den Vater	die Hand	das Dorf	die Tür	den Studenten
		PLURAL	
N. die Väter	die Hände	die Dörfer	die Türen	die Studenten
G. der Väter	der Hände	der Dörfer	der Türen	der Studenten
D. den Vätern	den Händen	den Dörfern	den Türen	den Studenten
A. die Väter	die Hände	die Dörfer	die Türen	die Studenten

3. Irregular nouns

a. A number of nouns have a singular like Class II but a plural like Class IV:

das Auge, des Auges, die Augen

das Ohr, des Ohres, die Ohren
der See, des Sees, die Seen
der Doktor, des Doktors, die Doktoren
der Professor, des Professors, die Professoren

In **Doktor** and **Professor** the accent is shifted in the plural as follows: **die Dokto'ren, die Professo'ren.**

b. Other irregular nouns

das Herz	der Herr	der Name
des Herzens	des Herrn	des Namens
dem Herzen	dem Herrn	dem Namen
das Herz	den Herrn	den Namen
die Herzen	die Herren	die Namen
etc.	etc.	etc.

c. Certain nouns of foreign origin take –s in the plural.

das Radio, des Radios, die Radios
das Hotel, des Hotels, die Hotels
das Restaurant, des Restaurants, die Restaurants

4. Membership in the four classes

It is impossible to make comprehensive rules for determining in what way a noun will form its plural, but the following summary will prove helpful.

Class I

a. Only two feminines: **die Mutter, die Mütter; die Tochter, die Töchter.**

b. Masculines and neuters ending in –el, –en, –er: **der Spiegel, die Spiegel; der Garten, die Gärten; der Lehrer, die Lehrer.**

c. Diminutives ending in –chen and -lein: **das Mädchen, die Mädchen.**

d. Neuters beginning with **Ge-** and ending in –e: **das Gebäude, die Gebäude.**

Class II

a. Many monosyllabic masculines: **der Tag, die Tage.**

b. Many monosyllabic feminines: **die Stadt, die Städte.**

c. Nouns ending in –ig, –ich, –ing, –nis, –sal: **der König, die Könige.**

d. A few neuters: **das Jahr, die Jahre.**

Class III

a. Most monosyllabic neuters: **das Dorf, die Dörfer.**

b. A few very common monosyllabic masculines: **der Mann, die Männer.**

c. No feminines.

Class IV

a. Nearly all feminines of more than one syllable: **die Stunde, die Stunden.**

b. Many monosyllabic feminines: **die Frau, die Frauen.**

c. A number of masculines denoting living beings: **der Student, die Studenten.**

d. Almost no neuters.

To summarize:

Class I is predominantly the class of masculines and neuters of more than one syllable. (Two feminines)

Class II is predominantly the class of monosyllabic masculines and feminines.

Class III is predominantly the class of monosyllabic neuters plus a few common masculines. (No feminines)

Class IV is predominantly the class of feminines plus a number of masculines denoting living beings.

III. DEMONSTRATIVE ADJECTIVES

The demonstrative adjectives are **dieser, jeder, jener, mancher, solcher.**

	SINGULAR			PLURAL
	MASC.	FEM.	NEUT.	ALL GENDERS
N.	dieser	diese	dieses	diese
G.	dieses	dieser	dieses	dieser
D.	diesem	dieser	diesem	diesen
A.	diesen	diese	dieses	diese

IV. PRONOUNS

A. Personal pronouns

	SING.	PLUR.	SING.	PLUR.	SING.			PLUR.	SING. AND PLUR.
N.	ich	wir	du	ihr	er	sie	es	sie	Sie
G.	meiner	unser	deiner	euer	seiner	ihrer	seiner	ihrer	Ihrer
D.	mir	uns	dir	euch	ihm	ihr	ihm	ihnen	Ihnen
A.	mich	uns	dich	euch	ihn	sie	es	sie	Sie

B. Reflexive pronouns

Reflexive pronouns are like the corresponding cases and numbers of the personal pronouns except that in the third person and for the conventional **Sie** the reflexive is **sich** for all numbers and genders, and for both the accusative and dative cases.

C. Relative pronouns

	SINGULAR			PLURAL	INDEFINITE RELATIVES	
	MASC.	FEM.	NEUT.	ALL GENDERS	PERSONS	INDEF. THINGS
N.	der	die	das	die	wer	was
G.	dessen	deren	dessen	deren	wessen	wessen
D.	dem	der	dem	denen	wem	—
A.	den	die	das	die	wen	was

D. Interrogative pronouns

	PERSONS	THINGS
N.	wer	was
G.	wessen	—
D.	wem	—
A.	wen	was

E. The demonstrative adjectives, as well as **ein, kein,** and the possessive adjectives may also be used as pronouns. When so used, they are declined like **dieser.**

V. ADJECTIVES

Strong endings

	SINGULAR			PLURAL
	MASC.	FEM.	NEUT.	ALL GENDERS
N.	guter Kaffee	gute Milch	gutes Wasser	gute Leute
G.	guten Kaffee	guter Milch	guten Wassers	guter Leute
D.	gutem Kaffee	guter Milch	gutem Wasser	guten Leuten
A.	guten Kaffee	gute Milch	gutes Wasser	gute Leute

Weak endings

	SINGULAR			PLURAL
	MASC.	FEM.	NEUT.	ALL GENDERS
N.	der gute Mann	die gute Frau	das gute Kind	die guten Leute
G.	des guten Mannes	der guten Frau	des guten Kindes	der guten Leute
D.	dem guten Mann	der guten Frau	dem guten Kind	den guten Leuten
A.	den guten Mann	die gute Frau	das gute Kind	die guten Leute

Weak and strong endings

	SINGULAR		
	MASC.	FEM.	NEUT.
N.	ein guter Mann	eine gute Frau	ein gutes Kind
G.	eines guten Mannes	einer guten Frau	eines guten Kindes
D.	einem guten Mann	einer guten Frau	einem guten Kind
A.	einen guten Mann	eine gute Frau	ein gutes Kind

VI. PREPOSITIONS

1. WITH ACC.	2. WITH DAT.		3. WITH DAT. OR ACC.		4. WITH GEN.
durch	aus	seit	an	über	anstatt
für	außer	von	auf	unter	trotz
gegen	bei	zu	hinter	vor	während
ohne	mit		in	zwischen	wegen
um	nach		neben		um . . . willen

VII. SUMMARY OF RULES FOR WORD ORDER

A. In simple sentences and main clauses:

1. The inflected part of the verb is always the second element (except, of course, in commands or in questions without an interrogative at the beginning). Normally the first element is the subject, but any other element, e.g, an adverb, prepositional phrase or object, may stand first.

    a. Wir **werden** heute in die Stadt **gehen.**
    b. Heute **sind** wir in die Stadt **gegangen.**

    The co-ordinating conjunctions **aber, denn, oder, sondern, und** do not affect word order.

    Er bleibt bei mir, denn **er ist** mein bester Freund.

2. Pronoun objects stand directly after the verb (or in inverted order usually directly after the subject).

    Ich gebe **ihm** heute das Buch.
    Ich gebe **es** meinem Bruder.
    Heute gebe ich **ihm** das Buch.

3. If there are two pronoun objects, the direct object stands first.

    Ich gebe **es ihm.**

4. If there are two noun objects, the indirect object stands first.

    Ich bringe **der Frau eine Blume**

5. Expressions of time stand as near the verb as possible, i.e., after pronoun objects, but before expressions of place and usually before noun objects.

    Ich brachte ihm **heute** ein Buch in sein Haus.

6. Infinitives stand at the end. See 1*a* above.

7. Past participles stand at the end. See 1*b* above.

8. In simple tenses in main clauses separable prefixes stand at the end.

    Heute morgen stand er früh **auf.**

9. No definite rule can be made for the position of **nicht.** English *not* normally stands after the first verb of the sentence: I will *not* bring him the book. German **nicht,** however, normally stands at or toward the end of the sentence, especially in front of a past participle and infinitive and usually before an expres-

sion of place: Ich werde ihm das Buch **nicht** dahin bringen. Often the process of elimination will take care of the matter; if all other elements are correctly placed, there is usually only one place left for **nicht**.

B. In subordinate clauses

Everything remains as in the main clause, except that the inflected part of the verb is placed at the end.

> Er weiß, daß ich ihm heute ein Buch **gebe**.
> Er weiß, daß ich ihm heute ein Buch geben **werde**.

Exception: a "double infinitive" always stands at the end.

> Er weiß, daß ich es heute nicht habe **tun können**.

C. In complex sentences

If the subordinate clause precedes the main clause, the verb stands first in the main clause: in other words, the verb is still the second element in the sentence.

> Wenn er nicht bald kommt, **gehe** ich ohne ihn.

VIII. VERB PARADIGMS

A. Auxiliaries

1. **sein** *to be*

PRIN. PARTS: sein, war, ist ge- PERF. INFIN.: gewesen sein *to*
wesen *have been*
IMPER: sei, seid, seien Sie PRES. PART.: seiend *being*

INDICATIVE SUBJUNCTIVE

	I		II
PRES.: *I am, etc.*		PRESENT TIME	
ich bin	sei		wäre
du bist	seiest		wärest
er ist	sei		wäre
wir sind	seien		wären
ihr seid	seiet		wäret
sie sind	seien		wären

PAST: *I was, etc.*

ich war
du warst
er war
wir waren
ihr wart
sie waren

INDICATIVE		SUBJUNCTIVE			
PRES. PERF.: *I have been, etc.*		PAST TIME			
ich bin	gewesen	sei	gewesen	wäre	gewesen
du bist	gewesen	seiest	gewesen	wärest	gewesen
er ist	gewesen	sei	gewesen	wäre	gewesen
wir sind	gewesen	seien	gewesen	wären	gewesen
ihr seid	gewesen	seiet	gewesen	wäret	gewesen
sie sind	gewesen	seien	gewesen	wären	gewesen

PLUPERF.: *I had been, etc.*

ich war	gewesen
du warst	gewesen
er war	gewesen
wir waren	gewesen
ihr wart	gewesen
sie waren	gewesen

FUT.: *I shall be, etc.*			FUTURE TIME		
ich werde	sein	werde	sein	würde	sein
du wirst	sein	werdest	sein	würdest	sein
er wird	sein	werde	sein	würde	sein
wir werden	sein	werden	sein	würden	sein
ihr werdet	sein	werdet	sein	würdet	sein
sie werden	sein	werden	sein	würden	sein

FUT. PERF.: *I shall have been, etc.*			FUTURE PERF. TIME		
ich werde	gewesen sein	werde	gewesen sein	würde	gewesen sein
du wirst	gewesen sein	werdest	gewesen sein	würdest	gewesen sein
er wird	gewesen sein	werde	gewesen sein	würde	gewesen sein
wir werden	gewesen sein	werden	gewesen sein	würden	gewesen sein
ihr werdet	gewesen sein	werdet	gewesen sein	würdet	gewesen sein
sie werden	gewesen sein	werden	gewesen sein	würden	gewesen sein

2. **haben** *to have*

PRIN. PARTS: haben, hatte, gehabt

IMPER.: habe, habt, haben Sie

PERF. INFIN.: gehabt haben *to have had*

PRES. PART.: habend *having*

INDICATIVE	SUBJUNCTIVE	
	I	II
PRES.: *I have, etc.*	PRESENT TIME	
ich habe	habe	hätte
du hast	habest	hättest
er hat	habe	hätte
wir haben	haben	hätten
ihr habt	habet	hättet
sie haben	haben	hätten

INDICATIVE	SUBJUNCTIVE

PAST: *I had, etc.*

ich hatte
du hattest
er hatte
wir hatten
ihr hattet
sie hatten

PRES. PERF.: *I have had, etc.*   PAST TIME

ich habe	gehabt	habe	gehabt	hätte	gehabt
du hast	gehabt	habest	gehabt	hättest	gehabt
er hat	gehabt	habe	gehabt	hätte	gehabt
wir haben	gehabt	haben	gehabt	hätten	gehabt
ihr habt	gehabt	habet	gehabt	hättet	gehabt
sie haben	gehabt	haben	gehabt	hätten	gehabt

PLUPERF: *I had had, etc.*

ich hatte	gehabt
du hattest	gehabt
er hatte	gehabt
wir hatten	gehabt
ihr hattet	gehabt
sie hatten	gehabt

FUT.: *I shall have, etc.*   FUTURE TIME

ich werde	haben	werde	haben	würde	haben
du wirst	haben	werdest	haben	würdest	haben
er wird	haben	werde	haben	würde	haben
wir werden	haben	werden	haben	würden	haben
ihr werdet	haben	werdet	haben	würdet	haben
sie werden	haben	werden	haben	würden	haben

FUT. PERF.: *I shall have had, etc.*   FUTURE PERFECT TIME

ich werde	gehabt haben	werde	gehabt haben	würde	gehabt haben
du wirst	gehabt haben	werdest	gehabt haben	würdest	gehabt haben
er wird	gehabt haben	werde	gehabt haben	würde	gehabt haben
wir werden	gehabt haben	werden	gehabt haben	würden	gehabt haben
ihr werdet	gehabt haben	werdet	gehabt haben	würdet	gehabt haben
sie werden	gehabt haben	werden	gehabt haben	würden	gehabt haben

3. **werden** *to become*

PRIN. PARTS: werden, wurde,
             ist geworden

IMPER.: werde, werdet, werden
            Sie

PERF. INFIN.: geworden sein *to
            have become*

PRES. PART.: werdend *becoming*

INDICATIVE	SUBJUNCTIVE	
	I	II
PRES.: *I become, etc.*		PRESENT TIME
ich werde	werde	würde
du wirst	werdest	würdest
er wird	werde	würde
wir werden	werden	würden
ihr werdet	werdet	würdet
sie werden	werden	würden

PAST: *I became, etc.*

ich wurde
du wurdest
er wurde
wir wurden
ihr wurdet
sie wurden

PRES. PERF.: *I have become, etc.* 　　　　　　　PAST TIME

ich bin	geworden	sei	geworden	wäre	geworden
du bist	geworden	seiest	geworden	wärest	geworden
er ist	geworden	sei	geworden	wäre	geworden
wir sind	geworden	seien	geworden	wären	geworden
ihr seid	geworden	seiet	geworden	wäret	geworden
sie sind	geworden	seien	geworden	wären	geworden

PLUPERF.: *I had become, etc.*

ich war　　geworden
du warst　geworden
er war　　geworden
wir waren　geworden
ihr wart　　geworden
sie waren　geworden

FUT.: *I shall become, etc.* 　　　　　　　FUTURE TIME

ich werde werden	werde werden	würde werden
du wirst werden	werdest werden	würdest werden
er wird werden	werde werden	würde werden
wir werden werden	werden werden	würden werden
ihr werdet werden	werdet werden	würdet werden
sie werden werden	werden werden	würden werden

FUT. PERF.: *I shall have become, etc.* 　　　　FUTURE PERFECT TIME

ich werde geworden sein	werde geworden sein	würde geworden sein
du wirst geworden sein	werdest geworden sein	würdest geworden sein
er wird geworden sein	werde geworden sein	würde geworden sein
wir werden geworden sein	werden geworden sein	würden geworden sein
ihr werdet geworden sein	werdet geworden sein	würdet geworden sein
sie werden geworden sein	werden geworden sein	würden geworden sein

B. Regular weak verbs

sagen *to say*

PRIN. PARTS: sagen, sagte, gesagt

IMPER.: sage, sagt, sagen Sie

PERF. INFIN.: gesagt haben *to
have said*

PRES. PART.: sagend *saying*

INDICATIVE	I	II
		SUBJUNCTIVE

PRES.: *I say, etc.*   PRESENT TIME

	I	II
ich sage	sage	sagte
du sagst	sagest	sagtest
er sagt	sage	sagte
wir sagen	sagen	sagten
ihr sagt	saget	sagtet
sie sagen	sagen	sagten

PAST: *I said, etc.*

ich sagte
du sagtest
er sagte
wir sagten
ihr sagtet
sie sagten

PRES. PERF.: *I have said, etc.*   PAST TIME

ich habe	gesagt	habe	gesagt	hätte	gesagt
du hast	gesagt	habest	gesagt	hättest	gesagt
er hat	gesagt	habe	gesagt	hätte	gesagt
wir haben	gesagt	haben	gesagt	hätten	gesagt
ihr habt	gesagt	habet	gesagt	hättet	gesagt
sie haben	gesagt	haben	gesagt	hätten	gesagt

PLUPERF.: *I had said, etc.*

ich hatte gesagt
du hattest gesagt
er hatte gesagt
wir hatten gesagt
ihr hattet gesagt
sie hatten gesagt

FUT.: *I shall say, etc.*   FUTURE TIME

ich werde	sagen	werde	sagen	würde	sagen
du wirst	sagen	werdest	sagen	würdest	sagen
er wird	sagen	werde	sagen	würde	sagen
wir werden	sagen	werden	sagen	würden	sagen
ihr werdet	sagen	werdet	sagen	würdet	sagen
sie werden	sagen	werden	sagen	würden	sagen

INDICATIVE		SUBJUNCTIVE			
FUT. PERF.: *I shall have said, etc.*			FUTURE PERFECT TIME		
ich werde	gesagt haben	werde	gesagt haben	würde	gesagt haben
du wirst	gesagt haben	werdest	gesagt haben	würdest	gesagt haben
er wird	gesagt haben	werde	gesagt haben	würde	gesagt haben
wir werden	gesagt haben	werden	gesagt haben	würden	gesagt haben
ihr werdet	gesagt haben	werdet	gesagt haben	würdet	gesagt haben
sie werden	gesagt haben	werden	gesagt haben	würden	gesagt haben

C. Strong verbs

nehmen *to take*

PRIN. PARTS: nehmen, nahm, PERF. INFIN.: genommen haben
    genommen   *to have taken*
  IMPER.: nimm, nehmt, nehmen PRES. PART.: nehmend *taking*
     Sie

INDICATIVE	SUBJUNCTIVE	
	I	II
PRES.: *I take, etc.*	PRESENT TIME	
ich nehme	nehme	nähme
du nimmst	nehmest	nähmest
er nimmt	nehme	nähme
wir nehmen	nehmen	nähmen
ihr nehmt	nehmet	nähmet
sie nehmen	nehmen	nähmen

PAST: *I took, etc.*

ich nahm
du nahmst
er nahm
wir nahmen
ihr nahmt
sie nahmen

PRES. PERF.: *I have taken, etc.*			PAST TIME		
ich habe	genommen	habe	genommen	hätte	genommen
du hast	genommen	habest	genommen	hättest	genommen
er hat	genommen	habe	genommen	hätte	genommen
wir haben	genommen	haben	genommen	hätten	genommen
ihr habt	genommen	habet	genommen	hättet	genommen
sie haben	genommen	haben	genommen	hätten	genommen

PLUPERF.: *I had taken, etc.*

ich hatte genommen
du hattest genommen
er hatte genommen
wir hatten genommen
ihr hattet genommen
sie hatten genommen

INDICATIVE	SUBJUNCTIVE	
FUT.: *I shall take, etc.*	FUTURE TIME	

ich werde nehmen	werde nehmen	würde nehmen
du wirst nehmen	werdest nehmen	würdest nehmen
er wird nehmen	werde nehmen	würde nehmen
wir werden nehmen	werden nehmen	würden nehmen
ihr werdet nehmen	werdet nehmen	würdet nehmen
sie werden nehmen	werden nehmen	würden nehmen

FUT. PERF.: *I shall have taken, etc.*

FUTURE PERFECT TIME

ich werde		werde		würde	
du wirst		werdest		würdest	
er wird	genommen	werde	genommen	würde	genommen
wir werden	haben	werden	haben	würden	haben
ihr werdet		werdet		würdet	
sie werden		werden		würden	

D. Passive Voice

sehen *to see*

PRES. INFIN.: gesehen werden
to be seen

IMPER.: werde gesehen, werdet gesehen, werden Sie gesehen

PERF. INFIN.: gesehen worden sein *to have been seen*

INDICATIVE	SUBJUNCTIVE	
PRES.: *I am seen, etc.*	PRESENT TIME	

ich werde gesehen	werde gesehen	würde gesehen
du wirst gesehen	werdest gesehen	würdest gesehen
er wird gesehen	werde gesehen	würde gesehen
wir werden gesehen	werden gesehen	würden gesehen
ihr werdet gesehen	werdet gesehen	würdet gesehen
sie werden gesehen	werden gesehen	würden gesehen

PAST: *I was seen, etc.*

ich wurde gesehen
du wurdest gesehen
er wurde gesehen
wir wurden gesehen
ihr wurdet gesehen
sie wurden gesehen

PRES. PERF.: *I have been seen, etc.*

PAST TIME

ich bin		sei		wäre	
du bist		seiest		wärest	
er ist	gesehen	sei	gesehen	wäre	gesehen
wir sind	worden	seien	worden	wären	worden
ihr seid		seiet		wäret	
sie sind		seien		wären	

INDICATIVE		SUBJUNCTIVE

PLUPERF.: — *I had been seen, etc.*

ich war ⎫
du warst ⎪
er war ⎬ gesehen
wir waren ⎪ worden
ihr wart ⎪
sie waren ⎭

FUT.: *I shall be seen, etc.*   FUTURE TIME

ich werde ⎫		werde ⎫		würde ⎫	
du wirst ⎪		werdest ⎪		würdest ⎪	
er wird ⎬ gesehen		werde ⎬ gesehen		würde ⎬ gesehen	
wir werden ⎪ werden		werden ⎪ werden		würden ⎪ werden	
ihr werdet ⎪		werdet ⎪		würdet ⎪	
sie werden ⎭		werden ⎭		würden ⎭	

FUT. PERF.: *I shall have been
   seen, etc.*   FUTURE PERFECT TIME

ich werde ⎫		werde ⎫		würde ⎫	
du wirst ⎪ gesehen		werdest ⎪ gesehen		würdest ⎪ gesehen	
er wird ⎬ worden		werde ⎬ worden		würde ⎬ worden	
wir werden ⎪ sein		werden ⎪ sein		würden ⎪ sein	
ihr werdet ⎪		werdet ⎪		würdet ⎪	
sie werden ⎭		werden ⎭		würden ⎭	

INFIN.	PAST	PAST PART.	3RD SING. PRES.	IMPER.	PRES. SUBJ. II	MEANING
befehlen	befahl	befohlen	befiehlt	befiehl	beföhle (ä)	command
beginnen	begann	begonnen	beginnt	beginne	begänne (ö)	begin
beißen	biß	gebissen	beißt	beiße	bisse	bite
biegen	bog	gebogen	biegt	biege	böge	bend
bieten	bot	geboten	bietet	biete	böte	offer
binden	band	gebunden	bindet	binde	bände	tie
bitten	bat	gebeten	bittet	bitte	bäte	request, ask
bleiben	blieb	ist geblieben	bleibt	bleibe	bliebe	stay
brechen	brach	gebrochen	bricht	brich	bräche	break
empfangen	empfing	empfangen	empfängt	empfange	empfinge	receive
essen	aß	gegessen	ißt	iß	äße	eat
fahren	fuhr	ist gefahren	fährt	fahre	führe	drive, ride
fallen	fiel	ist gefallen	fällt	falle	fiele	fall
fangen	fing	gefangen	fängt	fange	finge	catch
finden	fand	gefunden	findet	finde	fände	find
fliegen	flog	ist geflogen	fliegt	fliege	flöge	fly
fliehen	floh	ist geflohen	flieht	fliehe	flöhe	flee
fließen	floß	ist geflossen	fließt	fließe	flösse	flow
fressen	fraß	gefressen	frißt	friß	fräße	devour
frieren	fror	gefroren	friert	friere	fröre	freeze
geben	gab	gegeben	gibt	gib	gäbe	give
gehen	ging	ist gegangen	geht	gehe	ginge	go, walk
gelingen	gelang	ist gelungen	gelingt	—	gelänge	succeed
genießen	genoß	genossen	genießt	genieße	genösse	enjoy
geschehen	geschah	ist geschehen	geschieht	—	geschähe	happen
gewinnen	gewann	gewonnen	gewinnt	gewinne	gewänne (ö)	win, gain
graben	grub	gegraben	gräbt	grabe	grübe	dig

INFIN.	PAST	PAST PART.	3RD SING. PRES.	IMPER.	PRES. SUBJ. II	MEANING
greifen	griff	gegriffen	greift	greife	griffe	*seize, grasp*
halten	hielt	gehalten	hält	halte	hielte	*hold, stop*
hängen	hing	gehangen	hängt	hänge	hinge	*hang*
heben	hob	gehoben	hebt	hebe	höbe	*lift*
heißen	hieß	geheißen	heißt	heiße	hieße	*be called*
helfen	half	geholfen	hilft	hilf	hülfe	*help*
kommen	kam	ist gekommen	kommt	komm(e)	käme	*come*
lassen	ließ	gelassen	läßt	lasse	ließe	*let, leave*
laufen	lief	ist gelaufen	läuft	laufe	liefe	*run*
leiden	litt	gelitten	leidet	leide	litte	*suffer*
lesen	las	gelesen	liest	lies	läse	*read*
liegen	lag	gelegen	liegt	liege	läge	*lie*
lügen	log	gelogen	lügt	lüge	löge	*tell a lie*
nehmen	nahm	genommen	nimmt	nimm	nähme	*take*
raten	riet	geraten	rät	rate	riete	*advise*
reiten	ritt	ist geritten	reitet	reite	ritte	*ride*
riechen	roch	gerochen	riecht	rieche	röche	*smell*
rufen	rief	gerufen	ruft	rufe	riefe	*call, cry*
scheinen	schien	geschienen	scheint	scheine	schiene	*shine; seem*
schießen	schoß	geschossen	schießt	schieße	schösse	*shoot*
schlafen	schlief	geschlafen	schläft	schlaf(e)	schliefe	*sleep*
schlagen	schlug	geschlagen	schlägt	schlage	schlüge	*strike*
schließen	schloß	geschlossen	schließt	schließe	schlösse	*lock, close*
schneiden	schnitt	geschnitten	schneidet	schneide	schnitte	*cut*
schreiben	schrieb	geschrieben	schreibt	schreibe	schriebe	*write*
schreien	schrie	geschrieen	schreit	schreie	schriee	*scream*
schweigen	schwieg	geschwiegen	schweigt	schweige	schwiege	*be silent*
schwimmen	schwamm	ist geschwommen	schwimmt	schwimme	schwämme (ö)	*swim*
sehen	sah	gesehen	sieht	sieh	sähe	*see*

INFIN.	PAST	PAST PERF.	3RD SING. PRES.	IMPER.	PRES. SUBJ. II	MEANING
sein	war	ist gewesen	ist	sei	wäre	be
singen	sang	gesungen	singt	singe	sänge	sing
sinken	sank	ist gesunken	sinkt	sinke	sänke	sink
sitzen	saß	gesessen	sitzt	sitze	säße	sit
sprechen	sprach	gesprochen	spricht	sprich	spräche	speak
springen	sprang	ist gesprungen	springt	springe	spränge	spring, jump
stehen	stand	gestanden	steht	stehe	stände (ü)	stand
steigen	stieg	ist gestiegen	steigt	steige	stiege	climb
sterben	starb	ist gestorben	stirbt	stirb	stürbe (ä)	die
tragen	trug	getragen	trägt	trage	trüge	carry
treffen	traf	getroffen	trifft	triff	träfe	meet, hit
treten	trat	ist getreten	tritt	tritt	träte	step
trinken	trank	getrunken	trinkt	trinke	tränke	drink
verbieten	verbot	verboten	verbietet	verbiete	verböte	forbid
vergessen	vergaß	vergessen	vergißt	vergiß	vergäße	forget
verlieren	verlor	verloren	verliert	verliere	verlöre	lose
wachsen	wuchs	ist gewachsen	wächst	wachse	wüchse	grow
waschen	wusch	gewaschen	wäscht	wasche	wüsche	wash
werden	wurde	ist geworden	wird	werde	würde	become
werfen	warf	geworfen	wirft	wirf	würfe	throw
ziehen	zog	gezogen	zieht	ziehe	zöge	pull
zwingen	zwang	gezwungen	zwingt	zwinge	zwänge	force

F. Classified list of the most common strong verbs — listed according to the vowel change in the principal parts

1. ei — ie(i) — ie(i)
2. ie — o — o
3. i — a — u(o)
4. e — a — o
5. e — a — e
6. a — u — a
7. *chiefly* a — ie — a

INFIN	PAST	PAST PART.	3RD SING. PRES.	IMPER.	PRES. SUBJ. II	MEANING
1. bleiben	blieb	ist geblieben	bleibt	bleibe	bliebe	*stay*
schreiben	schrieb	geschrieben	schreibt	schreibe	schriebe	*write*
schreien	schrie	geschrieen	schreit	schreie	schriee	*scream*
schweigen	schwieg	geschwiegen	schweigt	schweige	schwiege	*be silent*
steigen	stieg	ist gestiegen	steigt	steige	stiege	*climb*
treiben	trieb	getrieben	treibt	treibe	triebe	*drive*
beißen	biß	gebissen	beißt	beiße	bisse	*bite*
greifen	griff	gegriffen	greift	greife	griffe	*seize*
leiden	litt	gelitten	leidet	leide	litte	*suffer*
reiten	ritt	ist geritten	reitet	reite	ritte	*ride*
schneiden	schnitt	geschnitten	schneidet	schneide	schnitte	*cut*
2. bieten	bot	geboten	bietet	biete	böte	*offer*
fliegen	flog	ist geflogen	fliegt	fliege	flöge	*fly*
fliehen	floh	ist geflohen	flieht	fliehe	flöhe	*flee*
genießen	genoß	genossen	genießt	genieße	genösse	*enjoy*
schießen	schoß	geschossen	schießt	schieße	schösse	*shoot*
schließen	schloß	geschlossen	schließt	schließe	schlösse	*close, lock*
verlieren	verlor	verloren	verliert	verliere	verlöre	*lose*
ziehen	zog	gezogen	zieht	ziehe	zöge	*pull*

INFIN.	PAST	3RD SING. PRES.	IMPER.	PRES. SUBJ. II	PAST PART.	MEANING
3. binden	band	bindet	binde	bände	gebunden	*tie, bind*
singen	sang	singt	singe	sänge	gesungen	*sing*
springen	sprang	springt	springe	spränge	ist gesprungen	*spring, jump*
gelingen	gelang	gelingt	—	gelänge	ist gelungen	*succeed*
trinken	trank	trinkt	trinke	tränke	getrunken	*drink*
zwingen	zwang	zwingt	zwinge	zwänge	gezwungen	*force*
beginnen	begann	beginnt	beginne	begänne (ö)	begonnen	*begin*
gewinnen	gewann	gewinnt	gewinne	gewänne (ö)	gewonnen	*win, gain*
4. helfen	half	hilft	hilf	hülfe	geholfen	*help*
nehmen	nahm	nimmt	nimm	nähme	genommen	*take*
sehen	sah	sieht	sieh	sähe	gesehen	*see*
sprechen	sprach	spricht	sprich	spräche	gesprochen	*speak*
sterben	starb	stirbt	stirb	stürbe	ist gestorben	*die*
treffen	traf	trifft	triff	träfe	getroffen	*meet, hit*
werfen	warf	wirft	wirf	würfe	geworfen	*throw*
kommen	kam	kommt	komm(e)	käme	ist gekommen	*come*
5. essen	aß	ißt	iß	äße	gegessen	*eat*
geben	gab	gibt	gib	gäbe	gegeben	*give*
geschehen	geschah	geschieht	—	geschähe	ist geschehen	*happen*
lesen	las	liest	lies	läse	gelesen	*read*
treten	trat	tritt	tritt	träte	ist getreten	*step*
vergessen	vergaß	vergißt	vergiß	vergäße	vergessen	*forget*
bitten	bat	bittet	bitte	bäte	gebeten	*request, ask*
liegen	lag	liegt	liege	läge	gelegen	*lie*
sitzen	saß	sitzt	sitze	säße	gesesssen	*sit*
6. fahren	fuhr	fährt	fahre	führe	ist gefahren	*drive, ride*
schlagen	schlug	schlägt	schlage	schlüge	geschlagen	*strike*
tragen	trug	trägt	trage	trüge	getragen	*carry*

INFIN.	PAST	PAST PART.	3RD SING. PRES.	IMPER.	PRES. SUBJ. II	MEANING
wachsen	wuchs	ist gewachsen	wächst	wachse	wüchse	*grow*
waschen	wusch	gewaschen	wäscht	wasche	wüsche	*wash*
7.						
fallen	fiel	ist gefallen	fällt	falle	fiele	*fall*
fangen	fing	gefangen	fängt	fange	finge	*catch*
halten	hielt	gehalten	hält	halte	hielte	*hold, stop*
lassen	ließ	gelassen	läßt	lasse	ließe	*let, leave*
laufen	lief	ist gelaufen	läuft	laufe	liefe	*run*
schlafen	schlief	geschlafen	schläft	schlaf(e)	schliefe	*sleep*
heißen	hieß	geheißen	heißt	heiße	hieße	*be called*
rufen	rief	gerufen	ruft	rufe	riefe	*call, cry*
gehen	ging	ist gegangen	geht	gehe	ginge	*go, walk*
stehen	stand	gestanden	steht	stehe	stünde (ä)	*stand*

G. List of common irregular weak verbs

INFIN.	PAST	PAST PART.	3RD SING. PRES.	IMPER.	PRES. SUBJ. II	MEANING
bringen	brachte	gebracht	bringt	bringe	brächte	*bring*
denken	dachte	gedacht	denkt	denke	dächte	*think*
wissen	wußte	gewußt	weiß	wisse	wüßte	*know*
brennen	brannte	gebrannt	brennt	brenne	brennte	*burn*
kennen	kannte	gekannt	kennt	kenne	kennte	*know*
nennen	nannte	genannt	nennt	nenne	nennte	*call*
rennen	rannte	ist gerannt	rennt	renne	rennte	*run, race*
senden	sandte	gesandt	sendet	sende	sendete	*send*
wenden	wandte	gewandt	wendet	wende	wendete	*turn*
dürfen	durfte	gedurft	darf		dürfte	*be allowed to, may*
können	konnte	gekonnt	kann		könnte	*can, be able*
mögen	mochte	gemocht	mag		möchte	*like (to); may*
müssen	mußte	gemußt	muß		müßte	*must, have to*
sollen	sollte	gesollt	soll		sollte	*be supposed to*
wollen	wollte	gewollt	will		wollte	*want to, will*

German-English Vocabulary

This vocabulary is intended to be complete. For regular nouns, the plural ending only is given; for nouns that are in any way irregular, the genitive singular ending is also given, e.g., der **Student**, –en, –en. Adjectival nouns are listed with a hyphen at the end to indicate that the ending will vary with the article preceding it, e.g., der **Deutsch-**. Compound nouns are listed as such only if there is a change either in form or meaning of any of the component parts, e.g., das **Käsebrot** *cheese sandwich*, die **Diminutivendung** *diminutive ending*. In other cases, each part of the compound noun is listed separately.

Principal parts are given for strong and irregular verbs and for verbs with separable prefixes. The third person present indicative is given in parentheses if it is in any way irregular. If the auxiliary in the perfect tenses is **sein**, it is given. Separable prefixes are indicated by a raised dot between prefix and infinitive, e.g., **an·kommen.**

The comparison of irregular and of "umlauted" adjectives is given. Since all descriptive adjectives may be used as adverbs, this is ordinarily not indicated.

A

der **Abend**, –e evening
   abends in the evening
   gestern abend last night
   heute abend this evening
   zu Abend essen eat supper
  aber but
  ab·holen, holte ab, abgeholt
   call for
  ach oh
  acht eight
der **Adler**, – eagle
  alle all
  allein alone
  alles everything
die **Alpen** Alps
  als when, as; than
  also so, thus

alt, älter, ältest- old
(das) **Amerika** America
  an at, on; to (*dat. or acc.*)
  ander- other
der **Anfang**, ⁼e beginning
  an·fangen, fing an, angefangen
   begin
die **Anfrage**, –n inquiry
die **Angst**, ⁼e fear, anxiety
   Angst haben be afraid
   keine Angst haben not be
   afraid
  an·kommen, kam an, ist ange-
   kommen arrive
  an·sehen, sah an, angesehen
   (**sieht an**) look at
  (**sich**) **an·siedeln, siedelte an,**
   angesiedelt settle

223

anstatt instead of (*gen.*)
die **Antwort, –en** answer
antworten answer
sich an·ziehen, zog an, angezogen get dressed
der **Apfel, ⸚** apple
die **Arbeit, –en** work
arbeiten work
die **Arkade, –n** arcade
arm, ärmer, ärmst- poor
auch also, too
auf on, upon, onto (*dat. or acc.*)
ich gehe auf mein Zimmer I go to my room
die **Aufführung, –en** performance
auf·stehen, stand auf, ist aufgestanden get up
auf·wachen, wachte auf, ist aufgewacht wake up
das **Auge, –n** eye
aus out of, from (*dat.*)
aus Stroh of straw
aus·drücken, drückte aus, ausgedrückt express
aus·sehen, sah aus, ausgesehen (sieht aus) look like
außer besides, except, except for (*dat.*)
aus·steigen, stieg aus, ist ausgestiegen get out
auswendig lernen memorize
das **Auto, –s** auto, car

B

der **Bach, ⸚e** brook
der **Bahnhof, ⸚e** railroad station
bald soon
die **Bank, ⸚e** bench
bauen build
der **Bauer, –n** farmer, peasant
das **Bauernhaus, ⸚er** farmhouse
der **Baum, ⸚e** tree
der **Becher, —** goblet, beaker
der **Befehl, –e** command, order
befreien free, set free
behalten, behielt, behalten (behält) keep

bei by, beside, with (*dat.*)
beide both
das **Beil, –e** hatchet
beiliegend enclosed
bekannt well-known, known
berauben rob (*a person*)
der **Berg, –e** mountain
berühmt famous
beschließen, beschloß, beschlossen decide
beschreiben, beschrieb, beschrieben describe
besiegen defeat
bestellen order
bestrafen punish
besuchen visit
betrügen, betrog, betrogen betray, cheat
das **Bett, –en** bed
beugen bend
bevor before (*conj.*)
(sich) bewegen move
das **Bier, –e** beer
ein Glas Bier a glass of beer
das **Bild, –er** picture
die **Birke, –n** birch tree
bis until, till (*acc.*)
der **Bischof, ⸚e** bishop
bitte please
bitten, bat, gebeten beg, request, ask
bitten um ask for
blasen, blies, geblasen (bläst) blow
blau blue
bleiben, blieb, ist geblieben stay, remain
die **Blume, –n** flower
das **Blut** blood
die **Bratkartoffel, –n** fried potato
der **Brief, –e** letter
bringen, brachte, gebracht bring
die **Bronze** bronze
das **Brot, –e** bread
die **Brücke, –n** bridge
der **Bruder, ⸚** brother
der **Brunnen, —** fountain, well

das **Buch,** ⁼er book
die **Burg,** –en castle

C

die **Chemie'** chemistry

D

da there; since (*conj.*)
das **Dach,** ⁼er roof
dahin there, to a place
danken thank
das the, that; which
daß that (*conj.*)
das **Datum, Daten** date
dein your
denken, dachte, gedacht think
denn for (*conj.*)
der the; who, which
derselbe the same
deshalb therefore, for that reason
deutsch German
der **Deutsch-** German man
(das) **Deutschland** Germany
der **Dichter,** — poet, creative writer
dick thick, fat
die the; who, which
dienen serve
der **Diener,** — servant
dieser this
diesmal this time
die **Diminutivendung,** –en diminutive ending
das **Diminutivum,** –va diminutive
das **Ding,** –e thing
direkt direct
doch surely; nevertheless
der **Doktor, Dokto'ren** doctor
das **Dorf,** ⁼er village
das **Dörfchen,** — little village
dort there
das **Drama, Dramen** drama
dritt- third
drucken print
dumm, dümmer, dümmst- stupid
dunkel, dunkler, dunkelst- dark

durch through (*acc.*)
dürfen, durfte, gedurft (darf) be allowed, may

E

ehe before (*conj.*)
die **Ehre,** –n honor
zu Ehren in honor of
ehren honor
eigen own (*adj.*)
ein a, an, one;
einfach simple
einige a few
einmal once
eins one
einsam lonely
die **Einsamkeit** loneliness
ein·steigen, stieg ein, ist eingestiegen get in
ein·treffen, traf ein, ist eingetroffen (trifft ein) arrive
eisern iron
das **Ende,** –n end
Ende März at the end of March
zu Ende at an end
enden end
endlich at last, finally
die **Endung,** –en ending
eng narrow
entfernen remove
sich entfernen get away from
entlang·fahren, fuhr entlang, ist entlanggefahren, (fährt entlang) drive along
ergreifen, ergriff, ergriffen seize, grasp
erheben, erhob, erhoben raise
sich erheben rise up, arise
sich erinnern remember
sich an die Geschichte erinnern remember the story
erklären explain, declare
erscheinen, erschien, ist erschienen appear
erschießen, erschoß, erschossen shoot to death
erst first; not until, only

erwähnen mention
erzählen tell
essen, aß, gegessen, (ißt) eat
  zu Abend essen eat supper
etwas something
euer your

F

fahren, fuhr, ist gefahren
  (fährt) drive, ride
fallen, fiel, ist gefallen (fällt)
  fall
falsch false
die **Familie, –n** family
fehlen lack
der **Feind, –e** enemy
das **Feld, –er** field
  auf dem Feld in the field
  aufs Feld gehen go to the field
das **Fenster, —** window
die **Figur', –en** figure
der **Film, –e** film, movie
finden, fand, gefunden find
die **Flasche, –n** bottle, flask
fliehen, floh, ist geflohen flee
fließen, floß, ist geflossen flow
der **Flur, –e** vestibule
der **Fluß, –sse** river, stream
das **Flüßchen, —** little stream
folgen, ist gefolgt follow
die **Form, –en** form
die **Fortsetzung, –en** continuation
  Fortsetzung folgt to be continued
die **Frage, –n** question
fragen ask
die **Frau, –en** woman, wife, Mrs.
das **Fräulein, —** young lady, Miss
die **Freiheit** freedom
die **Freilichtaufführung, –en** open
  air performance
sich **freuen** be glad
der **Freund, –e** friend
die **Freundin, –nen** woman friend
freundlich friendly
die **Freundlichkeit** friendliness
der **Friede, –ns** peace
friedlich peaceful
die **Front, –en** façade, front

früh early
das **Frühstück, –e** breakfast
führen lead
der **Führer, —** leader
für for (*prep., acc.*)
der **Fuß, –̈e** foot
  zu Fuß on foot

G

ganz whole, quite
gar nicht not at all
gar nichts nothing at all
der **Gast, –̈e** guest
die **Gastwirtschaft, –en** inn
das **Gebäude, —** building
geben, gab, gegeben (gibt) give
  es gibt there is, there are
geboren born
der **Geburtstag, –e** birthday
gefährlich dangerous
gefallen, gefiel, gefallen (ge-
  fällt) please
  es gefällt mir I like it
das **Gefängnis, –sse** prison
gefangen nehmen take prisoner
das **Gefolge,** retinue, following
gegen against, toward (*acc.*)
gehen, ging, ist gegangen go,
  walk
gelb yellow
das **Geld, –er** money
gelingen, gelang, ist gelungen
  succeed
  es gelingt mir, es zu tun I
  succeed in doing it
genug enough
das **Gepäck** baggage
der **Gepäckträger, —** porter
gern gladly
  ich habe dieses Buch gern I
  like this book
  ich arbeite gern I like to
  work
das **Geschäft, –e** business, place of
  business
geschehen, geschah, ist ge-
  schehen (geschieht) happen, take place
die **Geschichte, –n** story, history

gestern yesterday
  gestern abend last night
gesund, gesünder, gesündest-
  healthy, sound, well
gewinnen, gewann, gewonnen
  win, gain
das Gildehaus, ⁼er guild house
der Gipfel, — summit, top
das Glas, ⁼er glass
  ein Glas Bier a glass of beer
  glauben believe
  gleich right away, at once
das Glück luck, happiness
  glücklich lucky, happy
die Gnade, –n mercy
  golden golden
  gotisch Gothic
der Graben, ⁼ ditch, moat
der Graf, –en, –en count
die Grammatik, –en grammar
  grau gray
  greifen, griff, gegriffen seize,
    grasp
(das) Griechenland Greece
  groß, größer, größt- big, large
  grotesk grotesque
  grün green
die Gründung, –en founding
die Gruppe, –n group
  gut, besser, best- good, well

H

  haben, hatte, gehabt (hat) have
  zu haben to be had
das Halali' *sound of the hunting horn*
  halten, hielt, gehalten (hält)
    hold, stop
die Hand, ⁼e hand
der Harz Harz Mountains
der Haß hate, hatred
  hassen hate
das Haus, ⁼er house
  heben, hob, gehoben lift
die Heide heather country, heather
  heilig holy, sacred, saintly
die Heimat home, home country
  heißen, hieß, geheißen be
    called

  ich heiße Schmidt my name
    is Smith
  das heißt that is
  helfen, half, geholfen (hilft)
    help
  heraus·wachsen, wuchs heraus,
    ist herausgewachsen
    (wächst heraus) grow out
    of
die Herde, –n herd, flock
  eine Herde Schafe a flock of
    sheep
der Herold, –e herald
der Herr, –n, –en gentleman, Mr.
das Herz, –ens, –en heart
  heute today
  heute abend this evening
  heute morgen this morning
  hier here
die Hilfe help
der Himmel, — heaven, sky
  hinan·steigen, stieg hinan, ist
    hinangestiegen climb up
  hinauf·fahren, fuhr hinauf, ist
    hinaufgefahren (fährt hin-
    auf) ride up, drive up
  hinein·ragen, ragte hinein, ist
    hineingeragt jut up into
  hin·fallen, fiel hin, ist hinge-
    fallen (fällt hin) fall down
  hinter behind (*dat. or acc.*)
der Hintergrund, ⁼e background
  hinunter·fahren, fuhr hinun-
    ter, ist hinuntergefahren
    (fährt hinunter) ride down,
    drive down
  hinunter·werfen, warf hin-
    unter, hinuntergeworfen
    (wirft hinunter) throw
    down
der Hirsch, –e stag
  historisch historic(al)
  hoch, höher, höchst- high
  hochachtungsvoll respectfully
der Hof, ⁼e court, courtyard
  hoffen hope
die Hoffnung, –en hope
  hoffnungslos hopeless
  holen get, fetch

hören hear
das **Hotel, –s** hotel
hübsch pretty
der **Hügel, —** hill
der **Hunger** hunger
Hunger haben be hungry
der **Hut, ⸚e** hat

I

das **Ideal', –e** ideal
die **Idee', –n** idea
ihr you (*familiar pl.*)
ihr her; their
Ihr your (conventional)
immer always
immer mehr more and more
in in, into, to (*dat. or acc.*)
der **Individualist', –en** individualist
interessant' interesting
interessieren interest
sich für etwas interessieren
be interested in something
inzwischen meanwhile

J

ja yes
die **Jagd, –en** hunt
das **Jahr, –e** year
im Jahre 1904 in 1904
jeder each, every
jeden Tag every day
jener that
jetzt now
jung, jünger, jüngst- young

K

der **Kaffee** coffee
der **Kaiser, —** emperor
das **Kaiserhaus, ⸚er** imperial palace
kaiserlich imperial
der **Kampf, ⸚e** battle, fight
kämpfen fight
das **Kapitel, —** chapter
die **Karte, –n** card
der **Käse** cheese
das **Käsebrot, –e** cheese sandwich
der **Kaufmann, Kaufleute** merchant

der **Kegel, —** cone
kein not any, no
kennen, kannte, gekannt know
(*a person, place or thing*)
ich lerne ihn kennen I get
acquainted with him
das **Kind, –er** child
das **Kino, –s** movie theatre,
movies
ins Kino gehen go to the
movies
die **Kirche, –n** church
das **Kirchlein, —** little church
der **Kirchturm, ⸚e** church steeple
klar clear
die **Klasse, –n** class
klein small, little (*in size*)
klug, klüger, klügst- intelligent,
smart
das **Knie, –e** knee
der **Köcher, —** quiver
kommen, kam, ist gekommen
come
der **König, –e** king
der **Konjunktiv** subjunctive
können, konnte, gekonnt
(**kann**) can, be able
der **Kopf, ⸚e** head
krank, kränker, kränkst- sick
der **Kreuzweg, –e** crossroad
der **Krieg, –e** war
der **Kristall', –e** crystal
die **Krone, –n** crown
kühl cool
kurz, kürzer, kürzest- short

L

lächeln smile
das **Lager, —** camp
der **Laienbruder, ⸚** lay brother
das **Land, ⸚er** land, country
die **Landschaft, –en** landscape
die **Landstraße, –n** highway
der **Landvogt, ⸚e** governor
lang, länger, längst- long
lange a long time
langsam slow

lassen, ließ, gelassen (läßt) let, leave
  er ließ den Hut auf die Stange setzen he had the hat put on the pole
laufen, lief, ist gelaufen (läuft) run
das **Leben,** — life
  leben live
die **Legen'de, -n** legend
der **Lehrer,** — teacher
  leid: es tut mir leid I am sorry
  leider unfortunately
  lernen learn
    ich lerne ihn kennen I get acquainted with him
lesen, las, gelesen (liest) read
letzt- last
die **Leute** (*pl.*) people
das **Lexikon, Lexika** dictionary
  lieben love
  liegen, lag, gelegen lie
die **Liste, -n** list
die **Literatur', -en** literature
die **Lokal'bahn, -en** local train

M

  machen make, do
die **Macht, ⁼e** power, might
  mächtig powerful
das **Mädchen,** — girl
die **Magie'** magic
das **Mal, -e** time
  zum ersten Mal for the first time
  man one, people
  mancher many a, some
  manchmal sometimes
der **Mann, ⁼er** man
der **Markt, ⁼e** market
die **Mathematik'** mathematics
die **Mauer, -n** wall
die **Medizin', -en** medicine
  mehr more
  mein my
der **Mensch, -en, -en** human being, man

die **Milch** milk
die **Minute, -n** minute
  mit with (*dat.*)
  mit·nehmen, nahm mit, mitgenommen (nimmt mit) take along
der **Mittag, -e** noon
die **Mitte** middle, center
  mit·teilen, teilte mit, mitgeteilt inform, communicate
  mittelalterlich medieval
die **Mitternacht, ⁼e** midnight
  modern' modern
  mögen, mochte, gemocht (mag) like; may (*possibility*)
    ich möchte I would like
  möglich possible
der **Monat, -e** month
der **Morgen,** — morning
  am Morgen in the morning
  morgen tomorrow
  heute morgen this morning
das **Motorrad, ⁼er** motorcycle
die **Musik'** music
  müssen, mußte, gemußt (muß) must, have to
die **Mutter, ⁼** mother

N

  nach to, toward; according to; after (*dat.*)
der **Nachbar, -n** neighbor
  nachdem after (*conj.*)
  nachmittags in the afternoon
  nächst- next
die **Nacht, ⁼e** night
der **Name, -ns, -n** name
die **Natur', -en** nature
  natürlich natural, of course
  neben beside, next to (*dat. or acc.*)
  nehmen, nahm, genommen (nimmt) take
  nein no
  nennen, nannte, genannt call, name
  neu new

das **Neutrum, –tra** neuter
  nicht not
    gar nicht not at all
  nichts nothing, not anything
    gar nichts nothing at all
  nie never
  noch yet, still
    noch nicht not yet
  nun now; well!
  nur only

O

ob whether, if
oberhalb above
obgleich although
obwohl although
oder or
oft often
ohne without (*acc.*)
  ohne es zu tun without doing it
das **Ohr, –en** ear
der **Onkel, —** uncle
die **Oper, –n** opera
orientieren orient
ost east
(das) **Österreich** Austria
österreichisch Austrian

P

der **Pakt, –e** pact
persönlich personal
der **Pfeil, –e** arrow
die **Pflicht, –en** duty
die **Philosophie'** philosophy
der **Platz, –̈e** place, square
politisch political
der **Portier', –s** hotel desk clerk
die **Post** mail
die **Postkarte, –n** postcard
der **Professor, Professo'ren** professor
die **Prüfung, –en** examination

R

das **Rad, –̈er** wheel, bicycle
der **Radfahrweg, –e** bicycle path
ragen rise up, jut up
das **Rathaus, –̈er** city hall

rauben rob
der **Raubritter, —** robber knight
recht right
reich rich
die **Reise, –n** trip
  eine Reise machen take a trip
reisen, ist gereist travel
die **Reklame** advertising
rennen, rannte, ist gerannt run, race
die **Republik'** republic
der **Rest, –e** remnant, remainder
richtig correct, right
der **Ritter, —** knight
romantisch romantic
rot, röter, rötest- red
rötlich reddish
der **Rotwein, –e** red wine
der **Rücken, —** back
rufen, rief, gerufen call, cry
das **Rührei, –er** scrambled eggs
die **Ruine, –n** ruin
rund round

S

sagen say
das **Salzkammergut** *region in Austria*
das **Schaf, –e** sheep
der **Schäfer, —** shepherd
die **Schale, –n** basin, bowl
der **Schatten, —** shade, shadow
schattig shady
schenken give
schicken send
schießen, schoß, geschossen shoot
das **Schiff, –e** ship
schlafen, schlief, geschlafen (**schläft**) sleep
das **Schloß, –sses, –̈sser** castle, palace
schnell fast, quick
schon already
schön beautiful, pretty, nice
die **Schönheit, –en** beauty
schrecklich terrible
schreiben, schrieb, geschrieben write

schreien, schrie, geschrieen
scream, cry
der Schütze, –n, –n marksman
(das) Schwaben Swabia (*region in southwest Germany*)
schwarz black
die Schweiz Switzerland
der Schweizer, — Swiss
schwer heavy, difficult, hard
die Schwester, –n sister
der See, –n lake
die Seele, –n soul
sehen, sah, gesehen (sieht) see
sehr very, very much
sein his, its
sein, war, ist gewesen (ist) be
seit since (*prep., dat.*)
er wohnt seit einem Jahr da
he has been living there for
a year
seitdem since (*conj.*)
die Seite, –n side
selbst himself, herself, *etc.*
senden, sandte, gesandt send
setzen set
sich setzen sit down
die Siedlung, –en settlement
silberklar silvery clear
sitzen, saß, gesessen sit
so so, thus
sobald as soon as
sofort at once, immediately
sogar even
solcher such
der Soldat', –en, –en soldier
sollen (soll) be supposed to,
shall, be to
er sollte he ought
der Sommer, — summer
sondern but
die Sonne, –n sun
sonnig sunny
der Sonntag, –e Sunday
die Soziologie' sociology
spät late
die Speise, –n food
die Speisekarte, –n menu card
der Speisesaal, –säle dining room
der Spiegel, — mirror

spielen play
das Spielzeug, –e toy, plaything
spitz pointed, sharp
die Spitze, –n point
sprechen, sprach, gesprochen
(spricht) talk, speak
springen, sprang, ist gesprungen jump, spring
St. *abbrev. for* der Sankt saint
die Stadt, ⁼e city
die Stadt Goslar the city of
Goslar
das Städtchen, — small city, town
die Stange, –n pole
stark, stärker, stärkst- strong
statt·finden, fand statt, stattgefunden take place
stehen, stand, gestanden stand
steigen, stieg, ist gestiegen
climb
der Stein, –e stone
sterben, starb, ist gestorben
(stirbt) die
still quiet, still
stolz proud
stören disturb
die Strafexpedition, –en punitive
expedition
die Straße, –n street
das Stroh straw
das Strohdach, ⁼er thatched roof
der Student', –en, –en student
(*male*)
die Studentin, –nen student (*female*)
studieren study
der Stuhl, ⁼e chair
die Stunde, –n hour
der Sturm, ⁼e storm

T

der Tag, –e day
eines Tages one day
guten Tag hello, how do you
do?
das Tagebuch, ⁼er diary
das Tal, ⁼er valley
tanzen dance
das Taxi, –s taxi

der **Teufel,** — devil
die **Terrasse, –n** terrace
die **Theologie'** theology
der **Tisch, –e** table, desk
die **Tochter,** ± daughter
das **Tor, –e** gate, gateway
tot dead
töten kill
tragen, trug, getragen (trägt) carry, wear
treffen, traf, getroffen (trifft) meet, hit
treten, trat, ist getreten, (tritt) step
treu faithful
trinken, trank, getrunken drink
trotz in spite of (*gen.*)
tun, tat, getan do
die **Tür, –en** door
der **Turm,** ±**e** tower, steeple
das **Türmchen,** — little tower
der **Tyrann', –en, –en** tyrant
tyrannisch tyrannical

U

über over, above (*dat. or acc.*); about (*acc.*)
übersetzen translate
das **Ufer,** — shore, bank
die **Uhr, –en** clock, watch
um around (*acc.*); in order to
um . . . willen for the sake of (*gen.*)
(sich) **um·wenden, wandte um, umgewandt** turn around
und and
unglücklich unlucky, unhappy
die **Universität', –en** university
der **Universitätsprofessor, –en** university professor
unser our
unter under, beneath; among (*dat. or acc.*)
unterdrücken oppress
unterschreiben, unterschrieb, unterschrieben sign

V

der **Vater,** ± father

verbleiben, verblieb, ist verblieben remain
verfolgen pursue
die **Vergangenheit** past
vergessen, vergaß, vergessen, (vergißt) forget
verkaufen sell
der **Verlag, –e** publishing house
verlassen, verließ, verlassen (verläßt) leave (*a person or place*)
verlieren, verlor, verloren lose
verraten, verriet, verraten, (verrät), betray
sich **versammeln** gather
versprechen, versprach, versprochen (verspricht) promise
verstehen, verstand, verstanden understand
verwunden wound
das **Vieh** cattle, farm animals
viel much
viele many
vielleicht maybe, perhaps
der **Vierwaldstättersee** Lake of Lucerne
das **Volk,** ±**er** people, nation
voll full
voll Haß full of hate
von from, of; by (*agent*) (*dat.*)
vor in front of, before (*dat. or acc.*); ago (*dat.*)
vor vielen Jahren many years ago
vorbei·gehen, ging vorbei, ist vorbeigegangen go past
an dem Haus vorbei·gehen go past the house
vormittags in the forenoon

W

wachsen, wuchs, ist gewachsen (wächst) grow
der **Wagen,** — wagon
während during (*gen.*); while
wahrscheinlich probably
der **Wald,** ±**er** forest, woods
die **Wallfahrt, –en** pilgrimage

die **Wallfahrtskirche, –n** pilgrimage church
wandern, ist gewandert wander
wann when
warm, wärmer, wärmst- warm
die **Wärme** warmth
warten wait
warum why
was what
  was für ein what kind of a
waschen, wusch, gewaschen (wäscht) wash
das **Wasser, —** water
weder ... noch neither ... nor
der **Weg, –e** way, path, road
wegen because of (*gen.*)
weil because
der **Weinberg, –e** vineyard
weiß, white
weit far, wide
weiter·fahren, fuhr weiter, ist weitergefahren (fährt weiter) drive on, ride on
welcher which
die **Welt, –en** world
wenden, wandte, gewandt turn
wenig little (*in amount*)
wenn when, if
wer who? he who, whoever
werden, wurde, ist geworden (wird) become, get
werfen, warf, geworfen (wirft) throw
das **Werk, –e** piece of work, work
wie how, as
wieder again
die **Wiese, –n** meadow, pasture
die **Wildnis, –se** wilderness
willen: um ... willen for the sake of (*gen.*)

der **Wind, –e** wind
der **Winter, —** winter
wirklich real
wissen, wußte, gewußt, (weiß) know (*facts*)
wo where
die **Woche, –n** week
wohin where to
wohl probably, indeed
wohnen live, dwell
das **Wohnzimmer, —** living room
der **Wolf, -̈e** wolf
der **Wolfgangsee** Lake Wolfgang
wollen, (will) want to, intend to, will
das **Wort, –e** (*or*) -̈er word
das **Wunder, —** miracle
wünschen wish

Z

zählen count
zeigen show
die **Zeit, –en** time
  mit der Zeit with time, in time
die **Zeitung, –en** newspaper
zerstören destroy
das **Zimmer, —** room
  ich gehe auf mein Zimmer I go to my room
zu to (*dat.*); too (*as in* too much)
zuerst at first, first
zufrieden satisfied, content
der **Zug, -̈e** train
die **Zugbrücke, –n** drawbridge
zurück·gehen, ging zurück, ist zurückgegangen go back
zwingen, zwang, gezwungen force
zwischen between (*dat. or acc.*)

English-German Vocabulary

This vocabulary contains only those words occurring in the exercises requiring translation from English to German.

A

able: be ... to können, konnte, gekonnt (kann)
about über (*acc.*)
acquainted: get ... with kennenlernen
after nach (*prep.*); nachdem (*conj.*)
again wieder
against gegen (*acc.*)
ago vor (*dat.*)
allow: be allowed dürfen, durfte, gedurft, (darf)
along entlang
   take along mit·nehmen, nahm mit, mitgenommen (nimmt mit)
already schon
also auch
although obwohl, obgleich
always immer
America (das) Amerika
answer antworten; die Antwort, –en
appear erscheinen, erschien, ist erschienen
apple der Apfel, ⸚
around um (*acc.*)
arrive an·kommen, kam an, ist angekommen
as wie, als
ask fragen
   ask for bitten um, bat, gebeten
at an (*dat. or acc.*)
Austria (das) Österreich
Austrian österreichisch

B

back zurück
baggage das Gepäck
be sein, war, ist gewesen (ist)
beautiful schön
because weil
bed das Bett, –en
beer das Bier, –e
behind hinter (*dat. or acc.*)
believe glauben
beneath unter (*dat. or acc.*)
bend beugen
beside neben (*dat. or acc.*)
between zwischen (*dat. or acc.*)
bicycle das Rad, ⸚er
bicycle path der Radfahrweg, –e
big groß, größer, größt-
birch tree die Birke, –n
bishop der Bischof, ⸚e
blood das Blut
book das Buch, ⸚er
born geboren
bread das Brot, –e
bring bringen, brachte, gebracht
brook der Bach, ⸚e
brother der Bruder, ⸚
build bauen
building das Gebäude, —
but aber; sondern

C

can können, konnte, gekonnt (kann)
car das Auto, –s

card die Karte, –n
carry tragen, trug, getragen, (trägt)
castle das Schloß, ⸗sser
cheese der Käse
cheese sandwich das Käsebrot, –e
child das Kind, –er
church die Kirche, –n
city die Stadt, ⸗e
the city of Goslar die Stadt
Goslar
class die Klasse, –n; die Stunde, –n
clear klar
coffee der Kaffee
come kommen, kam, ist gekommen
come back zurück·kommen, kam
zurück, ist zurückgekommen
correct richtig
count zählen
country das Land, ⸗er
course: of... natürlich
crossroad der Kreuzweg, –e
cry rufen, rief, gerufen

D

dark dunkel
day der Tag, –e
describe beschreiben, beschrieb,
beschrieben
devil der Teufel, —
diary das Tagebuch, ⸗er
diminutive das Diminutivum, –va
directly direkt
do tun, tat, getan
door die Tür, –en
drama das Drama, Dramen
drink trinken, trank, getrunken
drive fahren, fuhr, ist gefahren
(fährt)
drive along entlang·fahren, fuhr
entlang, ist entlanggefahren,
(fährt entlang)
drive on weiter·fahren, fuhr weiter,
ist weitergefahren, (fährt weiter)
during während (gen.)

E

eat essen, aß, gegessen (ißt)
emperor der Kaiser, —

end enden; das Ende, –n
every jeder
every day jeden Tag
everyone jeder
everything alles
except for außer (dat.)
explain erklären
express aus·drücken

F

fall fallen, fiel, ist gefallen (fällt)
family die Familie, –n
famous berühmt
farmer der Bauer, –n
fast schnell
father der Vater, ⸗
few: a... einige
field das Feld, –er
finally endlich
find finden, fand, gefunden
first erst, zuerst
flock die Herde, –n
a flock of sheep eine Herde
Schafe
foot der Fuß, ⸗e
on foot zu Fuß
for für (prep.); denn (conj.)
he's been here for a year er ist
seit einem Jahr hier
force zwingen, zwang, gezwungen
forenoon der Vormittag, –e
in the forenoon vormittags
forest der Wald, ⸗er
freedom die Freiheit
fried potato die Bratkartoffel, –n
friend der Freund, –e
from von (dat.)
front: in... of vor (dat. or acc.)

G

gather (sich) versammeln
Germany (das) Deutschland
get werden, wurde, ist geworden
(wird)
get into ein·steigen, stieg ein, ist
eingestiegen
get out aus·steigen, stieg aus, ist
ausgestiegen

get up auf·stehen, stand auf, ist aufgestanden
girl das Mädchen, —
give geben, gab, gegeben, (gibt)
give as a gift schenken
glad: be. . . sich freuen
go gehen, ging, ist gegangen
good gut, besser, best-
Gothic gotisch
governor der Landvogt, ⸗e
grammar die Grammatik, –en
gray grau
great groß, größer, größt-
Greece (das) Griechenland
green grün
guest der Gast, ⸗e

H

hall: town. . . das Rathaus, ⸗er
hand die Hand, ⸗e
hard schwer
hat der Hut, ⸗e
hatchet das Beil, –e
have haben, hatte, gehabt, (hat)
have to müssen, mußte, gemußt, (muß)
head der Kopf, ⸗e
hear hören
heat die Wärme
heather die Heide
heather country die Heide
heavy schwer
hello guten Tag
help helfen, half, geholfen (hilft); die Hilfe
her ihr
here hier
high hoch, höher, höchst-
highway die Landstraße, –n
hill der Hügel, —
himself selbst, selber
his sein
hold halten, hielt, gehalten (hält)
hope hoffen
hotel das Hotel, –s
hour die Stunde, –n
house das Haus, ⸗er
however aber
hundred hundert

hungry: be. . . Hunger haben
husband der Mann, ⸗er

I

ideal das Ideal, –e
if wenn
in in (*dat. or acc.*)
inn die Gastwirtschaft, –en
instead of anstatt (*gen.*)
intelligent klug
interested: be. . . in sich für . ; : interessieren
interesting interessant
into in (*acc.*)

K

kill töten
kind: what kind of a was für ein
knee das Knie, –e
know kennen, kannte, gekannt; wissen, wußte, gewußt (weiß)
know: well-known bekannt

L

lake der See, –n
Lake Wolfgang der Wolfgangsee
large groß, größer, größt-
last letzt-
late spät
lay brother der Laienbruder, ⸗
learn lernen
leave verlassen, verließ, verlassen, (verläßt)
legend die Legende, –n
let lassen, ließ, gelassen (läßt)
lie liegen, lag, gelegen
life das Leben, —
like mögen, mochte, gemocht (mag); gern haben; gern tun
  would like möchte
like wie
literature die Literatur, –en
little klein (*in size*); wenig (*in quantity*)
live leben; wohnen
long lang, länger, längst-
a long time lange
look at an·sehen, sah an, angesehen (sieht an)

look like aus·sehen, sah aus, ausgesehen (sieht aus)

M

magic die Magie
many viele
market der Markt, ⸚e
marketplace der Marktplatz, ⸚e
marksman der Schütze, –n, –n
may dürfen, durfte, gedurft (darf);
  mögen, mochte, gemocht (mag)
meadow die Wiese, –n
meet treffen, traf, getroffen (trifft)
memorize auswendig lernen
menu die Speisekarte, –n
midnight die Mitternacht, ⸚e
minute die Minute, –n
miracle das Wunder, —
Miss das Fräulein, —
modern modern
money das Geld, –er
more mehr
morning der Morgen, —
morning sun die Morgensonne, –n
mother die Mutter, ⸚
mountain der Berg, –e
Mr. der Herr, –n, –en
much viel
music die Musik

N

name: his name is . . . er heißt . . .
new neu
next nächst-
nice schön
no nein; kein
not nicht
nothing nichts
now jetzt, nun

O

often oft
old alt, älter, ältest-
on auf; an (*dat. or acc.*)
one ein; man
only nur
onto auf (*acc.*)
opera die Oper, –n
or oder

order der Befehl, –e
order: in . . . to um . . . zu
other ander-
ought sollte
out aus (*dat.*)
out of aus (*dat.*)
over über (*dat. or acc.*)
own eigen

P

pact der Pakt, –e
past vorbei
  go past the house an dem
    Haus vorbei·gehen
path der Weg, –e
people die Leute (*pl.*); das Volk,
  ⸚er
perhaps vielleicht
pilgrimage church die Wallfahrtskirche, –n
place der Platz, ⸚e
place setzen
place: take . . . statt·finden, fand
  statt, stattgefunden
play das Drama, Dramen
please bitte
poet der Dichter, —
pointed spitz
pole die Stange, –n
postcard die Postkarte, –n
power die Macht, ⸚e
pretty hübsch
probably wahrscheinlich
professor der Professor, –en

Q

question die Frage, –n
quiet still

R

railroad station der Bahnhof, ⸚e
read lesen, las, gelesen (liest)
remember sich erinnern an (*acc.*)
restaurant die Gastwirtschaft, –en
retinue das Gefolge
ride fahren, fuhr, ist gefahren (fährt)
rise up sich erheben, erhob, erhoben
river der Fluß, ⸚sse

roof das Dach, ⸚er
room das Zimmer, —

S

same: the — derselbe
say sagen
scrambled eggs das Rührei, –er
see sehen, sah, gesehen (sieht)
seize ergreifen, ergriff, ergriffen
sell verkaufen
serve dienen
settle sich an·siedeln
shade der Schatten, —
shepherd der Schäfer, —
ship das Schiff, –e
shoot schießen, schoß, geschossen
shore das Ufer, —
show zeigen
sick krank
side die Seite, –n
sign unterschreiben, unterschrieb,
    unterschrieben
simple einfach
since seit (*prep. dat.*); da (*conj.*)
sister die Schwester, –n
sit sitzen, saß, gesessen
sit down sich setzen
sleep schlafen, schlief, geschlafen,
    (schläft)
slow langsam
small klein
so so
soldier der Soldat, –en, –en
some manch-
something etwas
sometimes manchmal
son der Sohn, ⸚e
soon bald
sorry: I am . . . es tut mir leid
soul die Seele, –n
speak sprechen, sprach, gesprochen,
    (spricht)
spite: in . . . of trotz
square der Platz, ⸚e
stag der Hirsch, –e
stand stehen, stand, gestanden
stay bleiben, blieb, ist geblieben
steeple der Turm, ⸚e
step treten, trat, ist getreten (tritt)

still noch
story die Geschichte, –n
straw das Stroh
stream der Fluß, ⸚sse
street die Straße, –n
student der Student, –en, –en
study studieren
stupid dumm, dümmer, dümmst-
subjunctive der Konjunktiv, –e
succeed gelingen, gelang, ist ge-
    lungen
  I succeed es gelingt mir
such solch-
summer der Sommer, —
sun die Sonne, –n
Sunday der Sonntag, –e
supposed: be supposed to sollen
Swiss der Schweizer, —
Switzerland die Schweiz

T

table der Tisch, –e
take nehmen, nahm, genommen
    (nimmt)
take place statt·finden, fand statt,
    stattgefunden
talk sprechen, sprach, gesprochen
    (spricht)
taxi das Taxi, –s
tell erzählen
than als
that jener; daß
the der, die, das
their ihr
then dann
there da
  there is, there are es gibt
thing das Ding, –e
think denken, dachte, gedacht
this dieser
through durch (*acc.*)
throw werfen, warf, geworfen
    (wirft)
time die Zeit, –en; das Mal, –e
to zu, nach (*dat.*)
today heute
tonight heute abend
too auch; zu
town die Stadt, ⸚e

town hall das Rathaus, ⁼er
travel reisen
tree der Baum, ⁼e
trip die Reise, –n
  take a trip eine Reise machen
tyrannical tyrannisch

U

uncle der Onkel, —
under unter (*dat. or acc.*)
understand verstehen, verstand,
  verstanden
university die Universität, –en
until bis

V

valley das Tal, ⁼er
very sehr
village das Dorf, ⁼er
visit besuchen

W

walk gehen, ging, ist gegangen
wall die Mauer, –n
want to wollen (will)
war der Krieg, –e
warm warm, wärmer, wärmst-
well gut
what was
when wann; wenn
where wo; wohin

whether ob
which welch-
white weiß
who der, die, das; wer
whoever wer
whole ganz
why warum
wife die Frau, –en
wilderness die Wildnis, –se
window das Fenster, —
wish wünschen
with mit; bei (*dat.*)
without ohne (*acc.*)
  without doing it ohne es zu tun
woman die Frau, –en
woods der Wald, ⁼er
word das Wort, –e; ⁼er
work arbeiten
world die Welt, –en
write schreiben, schrieb, geschrieben
writer der Dichter, —

Y

year das Jahr, –e
yes ja
yet noch
  not yet noch nicht
you Sie; du
young jung, jünger, jüngst-

Index

240